clave

Brian Tracy es el presidente de Brian Tracy International, una compañía de desarrollo de recursos humanos con sede en Solana Beach, California. Ha escrito 70 libros y desarrollado más de 800 programas de entrenamiento en audio y vídeo. Sus materiales han sido traducidos a 40 idiomas y utilizados en 64 países.

Brian ha sido consultor de más de 1.000 empresas y es uno de los mejores conferenciantes e instructores del mundo. Imparte cursos a más de 250.000 personas cada año sobre temas de liderazgo, estrategia, ventas, desarrollo personal y éxito empresarial. Ha dado más de 5.000 conferencias y seminarios a 5 millones de personas alrededor del mundo, brindando una mezcla única de humor, perspicacia, información e inspiración. Ha publicado, entre otros, *Si lo crees, lo creas*, junto con la psicoterapeuta Christina Stein; *Habla menos, actúa más*; *Conecta con los demás*; *Conecta con el dinero*; *Multiplica tu dinero*; *Emprende tu propio negocio*, y *El plan Fénix*.

Para más información, visita la página web del autor: www.briantracy.com

También puedes seguir a Brian Tracy en sus redes sociales:
- Brian Tracy
- @BrianTracy
- @thebriantracy
- Brian Tracy

Christina Stein es conferencista, autora y psicoterapeuta. Tiene un máster en Psicología clínica en la Universidad de Antioch y un doctorado del Instituto de Estudios Avanzados de Sexualidad Humana. Dirige un consultorio privado en Santa Mónica, California, enfocado en el equilibrio entre el trabajo y la vida y el empoderamiento masculino y femenino. Trabaja con individuos y parejas y lleva a cabo talleres para ayudar a los asistentes a alinear sus prioridades y objetivos con sus habilidades y pasiones.

Si lo crees, lo creas

Elimina tus dudas, cambia tus creencias y suelta el pasado para alcanzar todo tu potencial

**BRIAN TRACY
CHRISTINA STEIN**

Traducción de
Elena Preciado

DEBOLS!LLO

Papel certificado por el Forest Stewardship Council®

Título original: *Believe It to Achieve It*

Primera edición en esta colección: enero de 2023
Octava reimpresión: septiembre de 2024

© 2017, Brian Tracy y Christina Stein

Publicado por acuerdo con TarcherPerigee, un sello de Penguin Random House LLC
© 2021, Penguin Random House Grupo Editorial, S. A. de C. V.
Blvd. Miguel de Cervantes Saavedra, 301, 1er piso, colonia Granada,
alcaldía Miguel Hidalgo, 11520 Ciudad de México
© 2022, 2023, Penguin Random House Grupo Editorial, S. A. U.
Travessera de Gràcia, 47-49. 08021 Barcelona
© 2021, Elena Preciado, por la traducción
Diseño de la cubierta: © Adam Johnson

Penguin Random House Grupo Editorial apoya la protección del *copyright*.
El *copyright* estimula la creatividad, defiende la diversidad en el ámbito de las ideas
y el conocimiento, promueve la libre expresión y favorece una cultura viva.
Gracias por comprar una edición autorizada de este libro y por respetar las leyes del *copyright*
al no reproducir, escanear ni distribuir ninguna parte de esta obra por ningún medio sin permiso.
Al hacerlo está respaldando a los autores y permitiendo que PRHGE continúe publicando libros
para todos los lectores. Diríjase a CEDRO (Centro Español de Derechos Reprográficos,
http://www.cedro.org) si necesita fotocopiar o escanear algún fragmento de esta obra.

Printed in Spain – Impreso en España

ISBN: 978-84-663-6400-3
Depósito legal: B-20.274-2022

Impreso en Black Print CPI Ibérica
Sant Andreu de la Barca (Barcelona)

P 3 6 4 0 0 A

Índice

Introducción. Adopta una mentalidad triunfadora 9

Capítulo 1. Por qué la gente se estanca 17
Capítulo 2. Qué te detiene. 47
Capítulo 3. Dejar ir el pasado. 89
Capítulo 4. Cambia tu pensamiento, cambia tu vida. 123
Capítulo 5. Conviértete en un maestro del cambio 141
Capítulo 6. Las personas en tu vida 179
Capítulo 7. ¡Manos a la obra! 211

Conclusión. Siete verdades sobre ti 235

Introducción

Adopta una mentalidad triunfadora

Los problemas son el denominador común de la vida.
Son el gran ecualizador.
Ann Landers

Quizá las preguntas más importantes que harás y responderás en tu vida son: ¿quién soy? ¿Por qué estoy aquí? ¿Qué es lo que realmente quiero hacer con mi vida?

Tu estado natural es ser feliz, saludable, alegre y lleno de emoción por estar vivo. Deberías despertar cada mañana ansioso por comenzar el día. Deberías sentirte maravilloso contigo y con las relaciones en tu vida. Como un adulto maduro en pleno funcionamiento, deberías hacer cosas todos los días que te permitan avanzar para alcanzar la realización de tu máximo potencial. Deberías estar agradecido por todas tus bendiciones, en cada área de tu vida.

Si, por alguna razón, no te sientes o piensas de esta manera la mayor parte del tiempo, puede significar que algo no está bien con tu manera de pensar, sentir o reaccionar ante la vida. Tu objetivo principal es organizar tu vida de tal manera que te sientas feliz, gozoso y satisfecho la mayor parte del tiempo; elimines los pensamientos, las creencias, las ideas negativas o pesimistas que te detienen, y adoptes una mentalidad positiva de triunfador. Este libro te enseñará cómo lograrlo con las estrategias que las personas más exitosas y felices utilizan para alcanzar lo que quieren.

Eres una obra maestra

Permíteme contarte una historia. En la Galería de la Academia, en Florencia, Italia, se encuentra *El David* de Miguel Ángel, quizá la escultura más bella en el mundo. Las personas llegan de todas partes del planeta para admirarlo. El poder emocional de la escultura es casi abrumador cuando estás por primera vez en su presencia.

¿De dónde vino? Así cuenta la historia. Alrededor de 1501, Miguel Ángel recibió el encargo de crear una estatua para la Catedral de Florencia que se destacara de todas las demás obras de arte. (Más tarde se colocó en la Piazza della Signoria.) Trabajó en esta estatua en el patio de la Ópera del Duomo desde 1501 hasta 1504 en completo secreto.

Cuando esta increíble obra de arte fue develada en una gran ceremonia pública a la que acudieron miles de personas, un grito de asombro surgió de la multitud. Reconocieron inmediatamente que ésta era quizá la estatua más hermosa que jamás se hubiera creado.

Más tarde, se le preguntó a Miguel Ángel cómo fue capaz de esculpir algo tan hermoso. Explicó que caminaba hacia su estudio una mañana, como solía hacer, cuando por casualidad miró hacia una calle lateral donde yacía una gran pieza de mármol, traída de las montañas, cubierta de hierba y arbustos.

Ya había pasado por esa calle muchas veces, pero esta vez se detuvo y examinó la gran pieza de mármol, rodeándola varias veces. De repente, se dio cuenta de que ésta era exactamente la pieza de mármol que había estado buscando para crear la estatua que los Médici querían. Mandó a que la cargaran y la llevaran a su patio. Ahí trabajó en la pieza durante los siguientes cuatro años para crear *El David*.

Más tarde dijo: "Vi a *El David* en la pieza de mármol desde el principio. Mi único trabajo a partir de ahí fue remover todo lo que no era *El David*, hasta que sólo quedó perfección".

En el mismo sentido, eres como *El David* atrapado en el mármol. El gran objetivo de tu vida es remover todos esos miedos, dudas, inseguridades, emociones negativas y falsas creencias que te detienen, hasta que todo lo que quede sea la mejor versión de ti.

Vivimos hoy en uno de los mejores momentos de la historia de la humanidad. Hay más oportunidades y posibilidades para que puedas lograr más en cada área de tu vida que nunca antes, y simplemente mejorar año tras año.

Se ha creado más riqueza en los últimos 25 años que en toda la historia del hombre, y la riqueza total del mundo está aumentando y aumentando 4% o más por año. Hoy en día más personas se están convirtiendo en millonarias y multimillonarias, a un ritmo más rápido —pasando de la pobreza a la riqueza en una generación— que en ningún otro momento de la historia.

Las personas también están viviendo más. En 1900, la esperanza de vida promedio era de 52 años. Para 1935, se había elevado a 62. Hoy, el hombre promedio vive 77 años y la mujer promedio 80. Y estos números aumentan cada año.

Esto significa que si cuidas bien de tu salud física y mental, puedes superar los promedios y vivir hasta los 85, 90, 95 o incluso más. Tu trabajo es aprender lo que necesitas para vivir una vida larga y feliz, y luego aplicarlo para que puedas participar plenamente en el mejor momento para los humanos que haya existido jamás.

Evita una vida de "desesperación silenciosa"

Desafortunadamente, demasiadas personas, incluso en este mundo de abundancia y oportunidad, siguen viviendo vidas con "desesperación silenciosa".

En lugar de ser felices, entusiastas y optimistas sobre su vida y el futuro, muchas personas todavía tienen miedo, son negativas, inseguras, preocupadas, enojonas y frustradas. Tienen bloqueos mentales, miedos y frustraciones, todos arraigados en experiencias previas, que les impiden alcanzar su potencial y convertirse en todo lo que son capaces de llegar a ser.

Afortunadamente, hoy conocemos más sobre las emociones negativas y las ideas fijas que impiden que las personas alcancen su máximo potencial para el éxito y el logro que nunca antes. A veces, una sola idea o percepción que te lleve a verte a ti y a tu vida de manera diferente puede transformarte de tal manera que para siempre te sentirás maravilloso con tu vida.

Comienza con poco

Déjame contarte mi propia historia (Brian). Vengo de un hogar pobre, sin dinero y con pocas oportunidades. No terminé la preparatoria. Trabajé en diferentes oficios durante varios años, lavando platos y cavando zanjas y pozos. A los veintitantos me metí en el mundo de las ventas, donde finalmente tuve éxito, y luego en la administración de ventas, donde logré aún más. Para cuando cumplí los 30 años, mi vida estaba cambiando y estaba avanzando.

Conforme aumentó mi riqueza, un día compré un Mercedes-Benz 450SEL usado, gris plata, con interiores de piel azul —el coche de mis sueños durante muchos años—. Logré negociar mi coche viejo como pago inicial y el resto lo pagué en mensualidades durante cinco años, pero finalmente tuve el auto que siempre había querido.

Cuando lo saqué a carretera y pisé el acelerador, comenzó a moverse más y más rápido hasta que tuve que disminuir la velocidad para evitar que me multaran por exceso de velocidad. Después de conducir este gran y poderoso automóvil durante un año, lo llevé a servicio a un mecánico especializado en reparaciones de Mercedes-Benz.

EL PODER DE UN PEQUEÑO CAMBIO

Cuando fui a recoger mi coche, el mecánico, Hans, me dijo que había encontrado un problema en el carburador. Un mecánico anterior había insertado una parte clave al revés, reduciendo así la cantidad de combustible que entraba al motor. Hans había reemplazado esta parte con una nueva válvula y la había instalado correctamente. Me dijo: "Notarás la diferencia".

Yo ya estaba contento y satisfecho con mi auto. Se conducía muy bien desde mi perspectiva e iba tan rápido como me atrevía a ir en carretera. Pero esta vez, cuando me subí al coche, lo encendí, y apenas toqué el acelerador éste explotó hacia adelante como propulsado por un cohete. Tuve que frenar bruscamente para evitar chocar.

Desde ese momento, cada vez que manejaba mi Mercedes, tenía que pisar muy suavemente el acelerador. Un ligero toque provocaría que el coche se disparara a una velocidad tal que tendría que frenar rápidamente para detenerlo. Y esta mejora en el rendimiento se debió a una pequeña válvula en el interior del carburador.

Una idea puede detenerte

El punto es que eres como un Mercedes bellamente diseñado. Pero incluso si tu vida avanza de manera satisfactoria, puedes tener, en lo profundo de tu pensamiento, un recuerdo o un bloqueo negativo que te impide lograr algo extraordinario con tu vida. Cuando identifiques este bloqueo y lo elimines, progresarás en pocas semanas o meses más de lo que podrías haber progresado en varios años.

Imagina que compras un coche de lujo nuevo, bellamente construido y diseñado con precisión en cada detalle. Sólo hay un problema. De alguna manera, durante el proceso de fabricación una parte se instaló incorrectamente, lo que provoca que el freno de la llanta delantera se bloquee y no gire cuando pisas el acelerador. Imagina que te subes a tu coche nuevo, hermoso y lujoso, enciendes el motor y pisas el acelerador. Si una llanta delantera estuviera bloqueada, ¿qué pasaría? El coche giraría alrededor de esa llanta delantera. Las llantas traseras lo conducirían hacia adelante, pero iría en círculos, sin hacer ningún progreso.

Éste es el punto. Todo lo que necesitas es un bloqueo inconsciente en lo profundo de tu mente, una emoción negativa o el recuerdo de una experiencia dolorosa pasada, y tu vida puede dar vueltas en círculos indefinidamente. No importa qué tan duro trabajes en el exterior, no progresarás — ni en tus finanzas, ni en tu familia, ni en tu carrera ni en tu salud— tanto como deberías. Cuanto más trabajes en el exterior, menos progreso harás y más insatisfecho te sentirás. Simplemente darás vueltas en círculos.

Tus mayores obstáculos para la felicidad y el éxito generalmente están contenidos en tus creencias autolimitantes, esas creencias negativas que tienes acerca de ti y tu potencial que no están basadas en hechos, pero que aceptaste de todos modos. La clave para desbloquear todo tu potencial es desafiar estas creencias y reemplazarlas con nuevas que mejoren tu vida.

La verdad te hará libre

En las siguientes páginas aprenderás cómo identificar esos bloqueos ocultos que te detienen. Aprenderás cómo liberar grandes reservas de energía, entusiasmo y deseo en la dirección que elijas. Aprenderás ideas y conocimientos probados que pueden cambiar tu vida.

Josh Billings, el humorista del siglo XIX, dijo una vez: "No es que un hombre sepa lo que le duele, sino que sepa lo que no es verdad". Especialmente sobre sí mismo.

Gran parte de la infelicidad y la insatisfacción en tu mundo de hoy, que te impide alcanzar tu mayor éxito, felicidad, logro y alegría, se basa en cosas que crees conocer pero que no necesariamente son ciertas. Cuando cambies tus creencias autolimitantes, cambiarás tu vida.

Empecemos.

Capítulo 1

Por qué la gente se estanca

Crecer significa cambiar y el cambio implica riesgo,
ir de lo conocido a lo desconocido.
GEORGE SHINN

Eres una persona notable con un potencial extraordinario. Tu cerebro contiene un millón de células, cada una conectada a cerca de 20 mil otras células. Esto significa que los posibles pensamientos que puedes tener, positivos o negativos, son mayores que la cantidad de moléculas en el universo conocido.

En este momento eres capaz de vivir una vida maravillosa llena de significado y propósito, teniendo un efecto positivo en muchas personas.

Pero antes de que puedas darte cuenta de todo tu potencial para la grandeza personal, necesitas comprender quién eres y cómo llegaste a donde estás hoy.

No hay un manual de instrucciones para la vida, ¡así que crea el tuyo!

Imagina que compras la computadora más sofisticada que existe, más accesorios.

La llevas a tu casa, la sacas de la caja y descubres, para tu sorpresa, que no hay ningún manual de instrucciones. Tienes una súper computadora moderna que podría realizar muchas tareas complicadas, pero no sabes cómo configurarla o usarla adecuadamente.

Naces de manera muy similar. Vienes al mundo con una mente maravillosa, cargada de talentos y habilidades sin explotar, con el potencial de hacer cosas extraordinarias con tu vida. Pero no tienes un manual de instrucciones. Tienes que resolverlo todo por ti mismo. Y esto generalmente lleva años, si no toda una vida.

¿Te has preguntado cómo te convertiste en la persona que eres hoy, con tu combinación única de pensamientos, sentimientos, ideas, habilidades, miedos, esperanzas, ambiciones y aspiraciones?

La magia de cambiar tu pensamiento

Thomas Edison dijo alguna vez: "Hay tres tipos de personas: quienes piensan. Quienes piensan que piensan. Y luego están aquellas que prefieren morir antes que pensar".

La gran mayoría de las personas va por la vida sin pensar quién es ni cómo llegó a donde está hoy. Como resultado, la vida simplemente les sucede, como una serie de eventos aleatorios, sin explicación y con pocas conexiones entre ellos.

Toman el primer trabajo que les ofrecen, hacen lo que se les dice, y luego otras personas que les ofrecen otros trabajos en gran medida determinan su carrera. Se casan con la persona que está parada cerca cuando deciden que ya no quieren estar solteras. Gastan su dinero en lo que les atrae e invierten en lo que alguien les sugiere. Para la persona promedio, la vida es como la defensa de un coche en un carnaval: continuamente golpeada en diferentes direcciones, con muy poco control.

Pero el hecho es que tu mundo se crea en gran medida por los pensamientos que tienes, y las cosas que haces como resultado de tu pensamiento. Cuando mejoras tu forma de pensar, mejoran tus acciones y tus resultados. Cuando cambias tu forma de pensar, cambias tu vida.

Unas palabras de Christina

Un ejemplo poderoso de cómo cambiar tu forma de pensar puede cambiar tu vida proviene de una experiencia con un cliente. Un hombre de cuarenta años vino a verme porque se dio cuenta de que estaba cansado de no sentirse feliz con su vida. Tenía una buena relación con su esposa y dos hijos felices, un trabajo bien remunerado y un grupo de apoyo de familiares y amigos.

Simplemente sentía que algo faltaba y no podía apreciar su situación. Lo que noté al trabajar con él fue que tenía una actitud general pesimista que estaba directamente relacionada con su creencia de que no tenía el control de su vida. Este patrón de pensamiento lo estaba haciendo sentir ansioso y deprimido por una condena inminente y desconocida que no podía evitar. Separamos su vida en partes e identificamos cómo y dónde él controlaba su vida.

Le di ejercicios para reforzar esta nueva creencia. Comenzó a practicar la toma de decisiones y a llevar a cabo acciones que demostraban que él tenía el control. Con el tiempo se volvió más relajado y tolerante. Eventualmente, toda su actitud cambió por completo. Se volvió mucho más optimista y positivo acerca de su vida. El punto de inflexión para él fue cuando cambió su percepción y optó por interpretar las cosas de manera diferente. Se percibía como el que tenía el control de sus elecciones y decisiones y, por lo tanto, tenía el control de su futuro. Su vida cambió completamente.

Las leyes mentales

Hay una serie de leyes y principios mentales que se ha descubierto y redescubierto a lo largo de la historia. Estas leyes explican en gran medida quién eres y todo lo que te sucede. Como escribió la autoridad en éxito Napoleon Hill: "Uno de los grandes secretos de la vida es nunca intentar violar las leyes naturales y ganar".

LA LEY DE CAUSA Y EFECTO

A esta ley a menudo se le conoce como *ley de hierro del universo*. Fue explicada por primera vez por Aristóteles en el año 350 a.C., en su academia a las afueras de Atenas, y fue llamada "Principio aristotélico de causalidad".

En un momento en que todos creían que la vida de los mortales estaba determinada por los dioses que jugaban en el monte Olimpo y que no era más que una serie de eventos aleatorios, Aristóteles en cambio proclamó que vivimos en un universo gobernado por el orden. Él dijo que todo sucede por una razón. Sólo porque no conocemos la razón, eso no significa que una razón no exista.

La *ley de causa y efecto* dice que por cada efecto o resultado en tu vida hay una causa o causas. Nada sucede por casualidad. Incluso los eventos más aleatorios se pueden remontar a causas o factores específicos.

Esta ley también dice que si hay un efecto que deseas, como la salud, la felicidad, la prosperidad o el éxito, puedes lograr ese efecto creando las causas que lo provocan. La manera más fácil de tener éxito es encontrar a alguien que ya haya logrado lo que tú deseas lograr y luego hacer las mismas cosas que hizo esta persona, una y otra vez, hasta que obtengas los mismos resultados.

> *Ejercicio*: anota los nombres de tres personas a las cuales admires, ya sea por quienes son o por lo que han logrado. ¿Qué cualidad admiras más de cada una? ¿Cómo puedes desarrollar estas cualidades?

Ésta es la primera regla de la ley de causa y efecto: si haces lo que las personas exitosas y felices hacen, una y otra vez, no habrá nada que te impida obtener finalmente los mismos resultados que ellas.

La segunda regla es: si no haces lo que hacen las personas exitosas y felices, nada podrá ayudarte.

El mundo está lleno de personas que hacen lo que hacen las personas infelices, fracasadas y frustradas, y luego se sorprenden por obtener los mismos resultados. Pero esto no es cuestión de mala suerte, azar o accidente. Es simplemente una cuestión de ley.

Si comes alimentos saludables, te ejercitas regularmente y cuidas bien de tu cuerpo, estarás en forma y saludable, y tendrás altos niveles de energía. Y si no haces esto, no estarás saludable. Todos entienden y están de acuerdo con esto. Es obvio. Es simplemente una cuestión de causa y efecto.

Tu pensamiento es creativo

La aplicación más importante de la ley de causa y efecto es ésta: los pensamientos son causas y las condiciones son efectos.

Tu pensamiento es creativo. Tú determinas qué te sucede con los pensamientos que tienes, especialmente con aquellos que están cargados con emoción, ya sea positiva o negativa. Tus pensamientos son como la computadora en un misil guiado. Ellos te conducen infaliblemente a tu objetivo.

Aquí hay un punto crítico: una vez que has iniciado la causa, el efecto tiene lugar por sí mismo. Una vez que has empujado la roca colina abajo, rueda por sí misma por la ley de la gravedad. Una vez que has plantado una semilla positiva o negativa en tu mente, las flores o las malas hierbas crecerán. Puedes controlar la causa, pero el efecto ocurre automáticamente, lo quieras o no.

Unas palabras de Christina

A menudo, cuando las personas vienen a terapia por primera vez, me gusta tomarme el tiempo para explorar su "jardín" y descubrir qué pensamientos, ideas y creencias positivas o negativas se han plantado y existen como parte de su historia personal. Las semillas son plantadas desde el momento en que una persona nace, por otros, y luego continúan siendo plantadas por nosotros.

Es vital identificar qué pensamientos e ideas ya existen para que el paciente pueda decidir qué plantas deben permanecer en el jardín y cuáles deben eliminarse porque ya no son verdaderas para él. A partir de ese momento, el jardín mental del paciente debe nutrirse. Contiene todos los pensamientos, ideas y emociones que componen la vida interior de una persona.

Piensa en el éxito

En un estudio de 22 años en la Universidad de Pensilvania, se entrevistó a 350 mil personas para descubrir qué pensaban la mayor parte del tiempo. Resultó que el 10% superior, el más feliz y el más exitoso de este grupo, pensó en dos cosas la mayor parte del tiempo: *lo que querían* y *cómo obtenerlo*. Pensaron en sus objetivos y las acciones que podrían tomar para alcanzarlos.

> *Ejercicio*: elige algo que realmente quieras. Ahora imagina que ya lo has logrado. Describe cómo se siente haber alcanzado tu objetivo. ¿Cómo sería tu vida diferente si lograras algo que es importante para ti?

Cuanto más las personas exitosas pensaban acerca de lo que querían y cómo conseguirlo, más ideas e intuiciones les llegaban. Estas ideas las motivaron a tomar aún más acciones, lo que las movió más y más rápido hacia sus objetivos. Cuando lograron sus objetivos, se sintieron más felices, más motivadas y ansiosas por establecer objetivos aún más grandes y desafiantes. Al pensar la mayor parte del tiempo en lo que querían y cómo obtenerlo, pusieron su vida en una espiral ascendente de éxito y logro. Y tú también puedes hacerlo.

El principio básico

El *principio básico* de todas las religiones, la filosofía, la metafísica, la psicología y el éxito es éste: te conviertes en lo que piensas la mayor parte del tiempo.

Cuando tienes pensamientos claros y definidos sobre lo que quieres, respaldados por la emoción positiva del entusiasmo, diriges y canalizas tu energía y tus actividades hacia tus objetivos.

Si tu mente es un revoltijo de pensamientos, como es el caso de la mayoría de las personas, pensarás en lo que quieres en algunas ocasiones, y en lo que no quieres en otras. Pensarás en lo que te hace feliz y en lo que te hace infeliz. Pensarás en el trabajo y en regresar a casa. Pensarás en dormir y en despertar. Pensarás en diversión a corto plazo ver televisión, escuchar música y socializar. Debido a que no tienes objetivos claros y específicos, tu vida simplemente da vueltas en círculos, a veces durante años. Con el tiempo, te conviertes en lo que piensas la mayor parte del tiempo, para bien o para mal.

LA LEY DE LA CREENCIA

La *ley de la creencia* dice que todo lo que creas con emoción se convierte en realidad. Tus creencias forman una pantalla de prejuicios a través de la cual ves tu mundo. En otras palabras, no ves el mundo como es, sino como eres.

William James, el psicólogo de la Universidad de Harvard del siglo XIX, dijo: "La creencia crea el hecho real".

Siempre piensas y actúas con base en tus creencias básicas, ya sean positivas o negativas. Si tienes creencias positivas y constructivas, tomarás buenas decisiones, instrumentarás las medidas correctas y obtendrás buenos resultados. Si tienes creencias negativas, temerosas o enojadas, tomarás las acciones incorrectas o ninguna acción, y obtendrás resultados negativos. Esto es simplemente una cuestión de ley.

> *Ejercicio*: consigue un cuaderno y tráelo contigo durante todo el día. Toma conciencia de cómo percibes las situaciones. Cuando te enfrentas a una decisión, ¿resaltas los aspectos positivos o consideras los negativos primero? Haz un seguimiento de estos patrones de pensamiento y realiza un esfuerzo consciente para ver las cosas de manera optimista. Luego haz un seguimiento de cómo te sientes en general sobre tu día. Asegúrate de anotar esto.

Todas las creencias son aprendidas

Afortunadamente, todas las creencias son aprendidas. Todo en lo que crees hoy te ha sido enseñado por alguien de alguna manera. Si tienes creencias positivas que afirmen la vida, tendrás una vida feliz y saludable. Serás popular y te llevarás bien con otras personas.

Si tienes creencias negativas y destructivas, serás dudoso, temeroso, sospechoso, negativo, y estarás en constante conflicto con otras personas en tu vida.

El punto de partida para la transformación personal es cuestionar tus creencias autolimitantes. Cualquier creencia que tengas que sugiera que tienes limitaciones en cuanto a talento, capacidad, personalidad u oportunidad no suele ser cierta. Son limitaciones que te has impuesto al creer en ellas. En el momento en que dejas de creer que estás limitado, de alguna manera tu vida entera se ilumina como un amanecer.

Unas palabras de Christina

Hace poco trabajé con una mujer que experimentaba una gran ansiedad cada vez que iba a tener una conversación con un compañero de trabajo en particular. Ella afirmó que se sentía pequeña e intimidada por este compañero y le costaba trabajo defender lo que necesitaba o quería en su presencia.

Le hice imaginar que se sentía muy pequeña, insegura e intimidada y luego le pedí que asociara esos sentimientos con un animal. Ella eligió un gatito porque a menudo son tímidos e inofensivos. Luego le pedí que pensara en un momento en que se sintiera firme, segura de sí misma y poderosa. Le pedí que asociara esos sentimientos con un animal. Ella eligió un tigre porque los tigres son poderosos y peligrosos. Luego le pedí que practicara imaginándose como un gatito y luego como un tigre. Hicimos esto varias veces hasta que sintió que podía conectarse fácilmente con los sentimientos que había asociado con cada animal. Comenzó a practicar ser su tigre en el trabajo y descubrió que la ansiedad de hablar con su compañero de trabajo desapareció por completo.

He llevado a cabo este ejercicio en particular con varios pacientes, y todas las veces he tenido éxito. Parece inusual, pero tomar tus creencias autolimitantes y crear un objeto o animal concreto para representarlos te permite exteriorizarlos y ser más consciente de la configuración mental desde la que estás operando.

Ser capaz de identificar cuándo te sientes inseguro y conscientemente cambiar a un estado de seguridad y empoderamiento te da una sensación de control y aumenta tu autoestima.

Ejercicio: ¿cuáles son las tres cosas que quieres hacer pero que piensas que no puedes hacer? ¿Por qué no puedes hacerlas? ¿Quién te dice que no puedes hacer esas cosas? ¿Quién cree que puedes? ¿Alguna vez has intentado hacer estas cosas, o simplemente estás asumiendo que no puedes hacerlas?

LA LEY DE LAS EXPECTATIVAS

La *ley de las expectativas* se ha discutido con frecuencia a lo largo de los años. Se usa para explicar muchas de las cosas que suceden en la sociedad, incluidas prácticamente todas las decisiones tomadas en el mercado de valores y en la economía. Dice: todo lo que esperas, con confianza, se convierte en tu propia profecía autocumplida.

Si esperas ser feliz y exitoso, probablemente lo seas. Si esperas ser popular y querido por otros, te comportarás de tal manera que lo hagas realidad. Si esperas tener una vida maravillosa, contribuir a la sociedad y ser respetado por tu familia, amigos y colegas, eso también se convierte en tu profecía autocumplida.

Tal vez la mejor actitud que puedes desarrollar es la de una expectativa positiva, en la cual vivas la vida con confianza esperando que todo salga bien. Y rara vez te decepcionará.

La mayoría de las personas infelices tiene una actitud de expectativa negativa. Esperan ser decepcionadas. Esperan ser engañadas o sobrecargadas. Esperan ser impopulares o poco queridas. Y sus expectativas también se hacen realidad.

Puedes decidir

La buena noticia es que puedes crear tus propias expectativas, ya sean positivas o negativas. La decisión es tuya. Lo único que puedes controlar en el mundo es tu forma de pensar. Si tomas el control de tu pensamiento, tomas el control completo de tus emociones, tus acciones y tu destino.

Tus expectativas están en gran medida formadas por tus creencias. Si crees que eres una buena persona, esperarás ser tratado de manera positiva. Y las personas responderán consciente o inconscientemente a tus expectativas, ya sea que las conozcan o no.

LA LEY DE LA ATRACCIÓN

Esta ley ha sido discutida por más de cinco mil años. La literatura popular sugiere que, con base en esta ley, puedes tener todo lo que deseas en la vida si visualizas y tienes pensamientos felices. Algunas personas piensan que por la *ley de la atracción* lo que sea que quieran inevitablemente se verá atraído hacia su vida.

Esta explicación es verdadera en parte. Es cierto que tu mente es un "imán viviente". De manera inevitable atraes a tu vida a las personas, los recursos y las experiencias que tienen tu emoción o que están en armonía con tus pensamientos dominantes.

La emoción es la clave para entender esta ley. Tus emociones, positivas o negativas, son como una carga eléctrica que influye en tu magnetismo y te atrae hacia lo que sea que estés emitiendo.

La ley de la atracción en acción

Lo que esta ley significa para ti es que cuando tienes absolutamente claro lo que quieres, estableces un campo de energía de fuerza que lo atrae hacia ti y te atrae hacia eso. El componente esencial para que funcione esta ley es la creencia o la fe. La menor duda o la negatividad con respecto a lo que quieras saboteará el proceso de atraerlo a tu vida.

> *Ejercicio*: imagina que vas a comprar un coche nuevo. Decide qué coche te gustaría tener y el color de tu elección. Durante los próximos días, observa la frecuencia con la que ves ese coche. Lo notarás en todas partes.

La ley de la resonancia simpática

También hay una subley: la *ley de la resonancia simpática*. De acuerdo con esta ley, si tocas una cuerda en un piano en un lado de la habitación y luego caminas hacia un piano al otro lado de la habitación, la misma cuerda vibrará como la que tocaste en el primer piano.

De la misma manera, a menudo conocerás a una persona con la que tienes una resonancia simpática desde el primer momento. Probablemente has experimentado esto en tu propia vida. Kahlil Gibran escribió, en su libro *El profeta*: "En el amor debe haber una comunicación instantánea en el primer momento de la cita, o nunca sucederá".

Muchas personas se sienten atraídas por la persona que se convierte en su esposo o su esposa por resonancia simpática. Sus ojos se encuentran en medio de una habitación llena de gente y, como imanes, se sienten atraídos el uno hacia el otro. Esta experiencia explica por qué las parejas casadas casi siempre pueden recordar su primer momento de encuentro.

La ley de la vibración

Otra subley de la ley de la atracción es la *ley de la vibración*, que dice que todo el universo es energía en movimiento, con cada sustancia vibrando en diferentes frecuencias. Tus pensamientos también vibran, en un nivel tan fino que tus ondas de pensamiento pueden viajar a través de cualquier sustancia, y en largas distancias, de forma instantánea.

A lo largo de tu vida tendrás experiencias como ésta: estás hablando de un amigo que vive en otro país, alguien que no has visto en años. En medio de tu conversación, el teléfono suena y resulta que es tu amigo. Y le dices, con sorpresa: "¡Estábamos hablando de ti!".

Éste es otro ejemplo de la ley de la atracción, basado en las leyes de la resonancia simpática y la vibración.

LA LEY DE LA REPULSIÓN

Lo opuesto a la ley de la atracción es la *ley de la repulsión*. Cuando tienes pensamientos negativos y aprehensivos sobre el dinero, sobre lo poco que tienes y cuánto cuesta todo, creas un campo de energía de fuerza negativa que aleja el dinero y las oportunidades de tu vida. Ésta es la razón principal por la cual muchas personas siguen siendo pobres toda su vida.

Quizá lo peor que puedes hacer si quieres tener éxito financiero es criticar a otras personas que lo están haciendo bien o que están ganando más que tú. Este comportamiento generalmente se basa en la envidia y el resentimiento, dos de las peores emociones negativas. Elimina todas las esperanzas de éxito de tu vida.

Pero cuando admiras a las personas exitosas creas ese campo de fuerza de energía que atrae a las personas exitosas hacia ti, lo que crea oportunidades para que tú también seas exitoso.

LA LEY DE CORRESPONDENCIA

Mi ley favorita es la *ley de correspondencia*, que dice: tu mundo exterior es un reflejo de tu mundo interior.

Creas el *equivalente mental* de lo que quieres ver, experimentar o disfrutar en el interior, y luego se materializa, como un reflejo, en tu vida. Es por eso que la Biblia dice: "Como es adentro, es afuera".

Napoleon Hill escribió que para ser financieramente independiente debes desarrollar una "conciencia de prosperidad". Una vez que tengas esta conciencia de prosperidad, comenzarás a ver todo tipo de oportunidades a tu alrededor para ganar más dinero. Conocerás nuevas personas, leerás libros o artículos relevantes, se te abrirán las puertas y tendrás grandes ideas que te llevarán a la prosperidad que deseas.

Desafortunadamente, la mayoría de la gente tiene una "conciencia de pobreza". Se preocupa por el dinero todo el tiempo. Se preocupa por cuánto cuesta todo y piensa que cuesta demasiado. Es cautelosa con su dinero y desconfía de las intenciones de otras personas. A menudo, debido al condicionamiento de la infancia, su actitud es: "¡No me lo puedo permitir!".

Buenos reflejos

Según la ley de la correspondencia, tu mundo exterior de relaciones será un reflejo de cómo te sientes por dentro. Cuanto más te gustes y te respetes, más te gustarán y respetarás a los demás. Cuanto más te gusten y respetes a los demás, más les gustarás y mejores serán tus relaciones en todas las áreas de tu vida.

Tu mundo exterior de salud será un reflejo de tu mundo interior de actitudes hacia la dieta, el ejercicio y el bienestar personal. Si te visualizas en forma, delgado y saludable por dentro, pronto serás una persona en forma, delgada y saludable en el exterior.

Tu mundo exterior de éxito será un reflejo de tu preparación interna y tu capacidad de utilizar tu conocimiento y tus habilidades. Esto se reflejará rápidamente en tu capacidad de lograr resultados mejores y más rápidos, lo que te hará avanzar en tu carrera.

Debido a estas leyes, te conviertes en lo que piensas la mayor parte del tiempo. Debido a estas leyes, cuando cambias tu forma de pensar, cambias tu vida. Y no hay otra manera.

El mundo está lleno de personas infelices y frustradas que están convencidas de que pueden cambiar los aspectos externos de su vida sin cambiar sus actitudes mentales internas. Esto simplemente no es posible.

El descubrimiento del autoconcepto

¿De dónde vienen tus pensamientos, sentimientos, creencias, expectativas y actitudes? El descubrimiento del autoconcepto en el siglo xx es el mayor avance en la comprensión y el desbloqueo del potencial humano que se haya realizado alguna vez.

La psicología del autoconcepto dice que cada niño viene al mundo sin autoconcepto. El filósofo David Hume lo llamó una "tabula rasa" o un "pizarrón en blanco". Dijo que cada persona comienza sin pensamientos, sentimientos, creencias y opiniones. Todo lo que "sabes" que es cierto acerca de ti y de tu mundo ha sido enseñado y aprendido, tanto directa como indirectamente, desde la infancia en adelante.

Por supuesto, cada niño tiene cierto tipo de temperamento, lo cual es evidente a temprana edad. Cada niño posee talentos latentes y habilidades que pueden desarrollarse —o no— a medida que llega a la adultez. Pero en términos de atributos de personalidad, cada niño nace con un potencial ilimitado.

El recién nacido

El niño viene al mundo completamente indefenso e incapaz de mantenerse por sí mismo de ninguna manera. Desde el momento del nacimiento, el niño necesita un flujo ininterrumpido de amor incondicional para un desarrollo saludable, como las rosas necesitan lluvia.

La visión del mundo del niño, segura o insegura, está determinada en gran medida por la forma en que se le trata en los primeros tres a cinco años de vida. Cuando los padres le dan al niño un flujo continuo de amor, aprobación, tacto, calidez y seguridad, desarrolla la creencia de que vive en un mundo seguro.

SÉ ESPONTÁNEO Y DESINHIBIDO

El niño nace con sólo dos miedos: el miedo a los ruidos fuertes y el miedo a caerse. Todos los otros miedos deben ser enseñados al niño a través de la repetición, generalmente por parte de sus padres, a medida que crece.

Los niños llegan al mundo con dos características comunes: son desinhibidos y espontáneos. Como no temen a nada, se ríen, lloran, mojan o ensucian los pañales, abrazan, hacen ruidos fuertes o extraños, y hacen lo que les da la gana.

Debido a que los niños son espontáneos, no están atrapados por las preocupaciones sobre lo que otros podrían pensar o sentir acerca de sus acciones o sus decisiones. Hacen o dicen exactamente lo que piensan y sienten en el momento, sin preocuparse si es algo que "deberían" o "no deberían" hacer en función de lo que otros creen. Hacen lo que es correcto para ellos.

Éste es tu derecho natural: ser espontáneo y desinhibido cuando se trata de ti y de tus sueños. Cuando estás en tu mejor momento, en un entorno seguro, con personas que te agradan y en las que confías, a veces, después de una o dos copas de vino, regresas a tu estado natural infantil de intrepidez, sin preocuparte por nada. Vuelves a ser completamente espontáneo, expresándote de manera natural y abierta sin preocuparte demasiado por lo que las personas piensen o sientan, o por cómo reaccionarán.

Los principales dos patrones de hábitos negativos

Debido a los errores que cometen los padres, especialmente la crítica destructiva y el castigo físico, los niños comienzan a aprender patrones de hábitos negativos a temprana edad. Estos patrones de hábitos negativos luego se alojan en la mente subconsciente del niño y determinan su personalidad a lo largo de la vida.

En psicología hay dos patrones de hábitos negativos principales: el patrón de hábito negativo inhibidor y el patrón de hábito negativo compulsivo. Los llamamos *miedo al fracaso* y *miedo al rechazo*. Son los principales obstáculos para el éxito y la felicidad para ti o para cualquier persona.

El primero de ellos, el miedo al fracaso, el patrón de hábito inhibidor negativo, se aprende cuando se le grita o se castiga físicamente al niño por intentar o probar cosas nuevas. Debido a que los niños son naturalmente curiosos, quieren tocar, probar, sentir y experimentar todo en su pequeño mundo. Ellos son completamente valientes. Tomarán cuchillos afilados, se pararán en los bordes de los edificios y correrán hacia los coches. Los padres deben pasar los primeros años de la vida de sus hijos evitando que se maten accidentalmente.

Con exasperación, los padres dicen cosas como: "¡Alto!, ¡No toques eso! o ¡Aléjate de ahí!".

Peor aún, los padres a menudo castigan físicamente a los niños, dándoles nalgadas en un intento por disuadirlos de experimentar e intentar cosas nuevas.

"NO PUEDO HACERLO"

Esto pronto crea en el niño el miedo al fracaso, que se expresa en el pensamiento y sentimiento de "¡No puedo!". Cuando el niño ha sido criticado destructivamente o castigado físicamente durante la primera infancia, este miedo al fracaso puede continuar en la vida adulta. Cada vez que el adulto se enfrenta a una nueva oportunidad para probar algo nuevo o diferente, la reacción automática, generalmente experimentada en el plexo solar, será: "¡No puedo!".

Por el resto de la vida de la persona, el miedo al fracaso tendrá una gran influencia para determinar lo que hace, a dónde va, los trabajos que elige, el círculo social que construye a su alrededor, la forma en que cría a sus hijos y trata a su cónyuge, y casi cualquier otro factor de su vida. El miedo al fracaso se cierne sobre el adulto como una nube negra. Muchos adultos reaccionan ante la posibilidad de fallar exactamente como un niño que tiene miedo de recibir una paliza por hacer algo mal.

¿Recuerdas el ejemplo sobre el jardín? La idea de "No puedo" es una hierba que necesita ser arrancada del jardín. Esa reacción automática no significa que la idea sea verdadera. Significa que es un patrón de pensamiento que se ha convertido en un hábito, y los hábitos se pueden cambiar. A través de la conciencia y la decisión, puedes desarrollar nuevas y mejores formas de pensar y de reaccionar. Eventualmente puedes convertirte en una persona completamente positiva.

EL MIEDO AL RECHAZO

El segundo bloqueo para cumplir con tu potencial es el patrón compulsivo de hábito negativo, el miedo al rechazo o a la crítica. Este patrón de hábitos se aprende cuando el niño se convierte en la víctima del amor condicional.

En un intento por controlar y manipular a sus hijos, los padres a menudo condicionan su amor al hecho de que los niños hagan exactamente lo que el padre desea, cuando lo desea, de la manera en que lo desea. El niño en crecimiento, que depende del amor de sus padres por su sensación de seguridad, pronto descubre que está a salvo sólo cuando hace lo que mamá y papá quieren. Comienza a pensar: "Si no hago lo que ellos quieren, no me amarán y no estaré a salvo".

Dado que la necesidad de seguridad del niño es la necesidad abrumadora en los años formativos de su vida, pronto comienza a ajustar su comportamiento a las demandas de sus padres. Esto se expresa en el pensamiento: "¡Tengo que hacerlo! Tengo que hacer lo que mamá y papá quieren. Tengo que hacer lo que les plazca. Tengo que hacer lo que ellos quieren que haga".

EL PATRÓN CONTINÚA

Cuando el niño crece, el patrón de hábito negativo inhibitorio, el miedo al rechazo y a la crítica, desencadenado por la amenaza de retirada del amor o de la aprobación, hace que se vuelva hipersensible a las opiniones de los demás.

En casos extremos, el adulto no puede tomar una decisión sin estar seguro de que las otras personas en su vida aprueban por completo esa decisión. Siempre tiene que obtener la aprobación de alguien, o de varias personas, antes de que pueda comprar una prenda de vestir o un coche nuevo. Se siente muy incómodo ante la sola idea de tomar cualquier tipo de decisión en la que alguien más lo desapruebe o lo critique.

El patrón de hábito negativo compulsivo se siente en forma de estrés o dolor en la parte posterior del cuerpo. Cuando una persona piensa: "¡Tengo que hacerlo!", sus músculos se tensan, comenzando por el cuello y moviéndose hacia abajo por la espalda.

Como adulto, cuando te sientes presionado para actuar, para complacer a alguien más, para hacer un trabajo a tiempo y que tu jefe no se enoje, es posible que comiences a sentir dolor en toda la columna vertebral. Pero cuando el trabajo está completo, el dolor desaparece.

Unas palabras de Christina

El miedo al rechazo y el deseo de una relación feliz con los demás es un tema importante en la terapia. Una vez trabajé con una joven de unos 20 años que no podía tomar decisiones porque tenía miedo de que fuera una decisión "incorrecta" y que alguien la desaprobara. La idea de tomar cualquier decisión causó su ansiedad extrema. Como resultado, tuvo problemas en sus relaciones. Era tan sensible a la aprobación o la desaprobación de la otra persona que nunca podía tomar una decisión de manera independiente.

El problema era que ella intentaba ser lo que creía que la otra persona quería que fuera. Inevitablemente, la relación se derrumbaba porque no había autenticidad entre ellos.

Con el tiempo, aprendió que para establecer una conexión auténtica con otra persona necesitaba tener una relación auténtica con su verdadero yo. Su miedo al rechazo estaba profundamente arraigado en ella; no podía aceptar que era una persona realmente valiosa e importante. La alenté a aceptar la idea de que quería estar con alguien que la quisiera tal como era, no a una versión falsa de ella.

Ella aceptó esta idea de todo corazón. Comenzó a salir con gente nueva y se mantuvo tan auténtica como le fue posible. Finalmente se encontró en una relación con un hombre genial que realmente la quiere y la respeta. Han estado juntos por más de seis meses.

Todavía tiene dificultades para afirmar sus gustos y sus aversiones, pero se siente mucho más cómoda con la idea de que si toma una decisión y no funciona, puede hacer otra elección la próxima vez.

Deficiencia de amor

En algunos países del Tercer Mundo, los niños crecen en áreas donde no hay suficiente calcio en su dieta. Debido a esta deficiencia de calcio, los huesos de sus piernas nunca se forman correctamente, dejándolos con las piernas arqueadas, incapaces de enderezar completamente sus miembros inferiores.

Un niño que ha experimentado deficiencia de calcio en la infancia puede ser claramente reconocido en la edad adulta por sus piernas arqueadas. Pero un niño que ha sido criado con una deficiencia de amor no lo muestra tan obviamente en el exterior. Sólo cuando interactúas con personas infelices, frustradas, enojadas o deshonestas te das cuenta de que algo anda mal.

Prácticamente todos los problemas de los adultos, y también los problemas de los adolescentes, se remontan a la *retención* o a la *falta* de amor durante los primeros años de la infancia. Cuando agregas crítica destructiva a la mezcla, muy a menudo produce un adulto que tiene los dos patrones de hábitos negativos, el inhibidor y el compulsivo, que va por la vida diciendo: "No puedo, pero tengo que hacerlo" o "Tengo que hacerlo, pero no puedo".

Prácticamente todas las emociones negativas que hacen que una persona no avance en la edad adulta son plantadas como semillas por la crítica o la negligencia de los padres en los primeros años de vida, cuando el niño es muy sensible, está completamente indefenso e ignora lo que está sucediendo. Cuando ves a un adulto disfuncional, ves los resultados de una infancia disfuncional.

Cambiando tu autoconcepto

Una vez que conoces el origen de tus emociones negativas, ¿cómo vuelves a tu mente subconsciente y las corriges? Esto nos lleva al papel que juega tu autoconcepto en tu forma de pensar y sentir.

Tu autoconcepto se compone del *paquete de creencias*, principalmente de otros, que has asimilado acerca de ti y aceptado como verdadero. Estas creencias forman tu realidad, ya sea que estén basadas en hechos o no. Siempre actuarás en el exterior de acuerdo con lo que crees sobre ti en el interior.

Tu autoconcepto se compone de tres partes: tu *yo ideal*, tu *autoimagen* y tu *autoestima*. Examinemos cada una en orden.

TU YO IDEAL

Tu yo ideal está compuesto de los valores, virtudes y cualidades que más admiras en ti y en otras personas. Es un compuesto de la persona que te gustaría ser en el futuro. Tu yo ideal también está moldeado por tus esperanzas, tus sueños, tus planes, tus metas y tus aspiraciones. Cuantas más cosas quieras ser, hacer y tener en tu vida, más poderosa será la influencia que tu yo ideal tendrá en tu comportamiento.

Las personas exitosas y felices tienen muy claros sus objetivos y sus ideales. Se toman bastante tiempo para pensar sobre lo que más valoran, defienden y creen. Establecen la integridad como el principio organizador de su vida y continuamente se esfuerzan por ser mejores, para convertirse cada vez más en lo que son realmente capaces de llegar a ser.

Las personas infelices y fracasadas tienen un yo ideal poco claro o inexistente. No representan ni creen en nada en particular. Comprometerán sus valores y sus principios con la más mínima ventaja o beneficio. Ellos nunca son felices.

Ten claros tus valores

Uno de los ejercicios que hacemos en nuestros seminarios se llama "clarificación de valores". Ayudamos a los participantes individuales a elegir los valores más importantes en su vida y luego desarrollamos planes para que vivan de acuerdo con esos valores cada hora de cada día. Una vez que las personas tienen claros sus valores y su yo ideal, toda su vida comienza a cambiar.

Una persona con ideales claros se involucra en comportamientos específicos (causa y efecto), cambia sus creencias (su realidad), altera sus expectativas (más positivas) y comienza a atraer a su vida a más personas y más recursos que estén en armonía con el ideal de la mejor persona que puede ser.

TU AUTOIMAGEN

La segunda parte de tu autoconcepto es tu autoimagen. Esto a menudo se llama tu "espejo interior". Es lo que observas antes de cualquier evento en tu vida para determinar cómo debes comportarte.

Las personas felices tienen autoimágenes positivas. Cuando se visualizan y se imaginan a sí mismas en cualquier parte de su trabajo o su vida personal, se ven seguras, competentes, amadas y efectivas. En la psicología de la autoimagen se dice: "La persona que ves es la persona que serás".

Toda mejora en tu vida comienza con una mejora en tus imágenes mentales, y tus imágenes mentales están completamente bajo tu control. Puedes cambiar tu autoimagen alimentando tu mente con imágenes positivas de la persona que te gustaría ser, actuando de la manera que te gustaría actuar.

El trabajo realizado en psicología de la autoimagen por Maxwell Maltz, en la década de 1950, transformó la vida de miles de personas. Aprendieron que cuando se visualizaban a sí mismas lo mejor que podían, su mente subconsciente alteraba el lenguaje corporal, el tono de voz y la personalidad para ser coherentes con la nueva imagen mental.

Cuando estás mentalmente sano, siempre hay una tensión dinámica entre la forma en que te ves hoy, tu autoimagen y tu yo ideal, de la forma en que quieres ser en el futuro. Cuando tienes un yo ideal claro, es más fácil mejorar continuamente tus pensamientos, tus conductas y tus actividades para que estén cada vez más en armonía con la mejor persona que puedes ser.

TU AUTOESTIMA

La tercera parte y la más importante de tu autoconcepto es tu autoestima. Es la base de tu personalidad. Es el "núcleo del reactor" de tu generador de energía emocional. Determina la calidad, la energía y la fuerza de tu personalidad.

La mejor definición de autoestima es: cuánto te gustas. Cuanto más te gustes, mejor estarás en cada parte de tu vida. Cuanto más te gustes, más te gustarán los demás. Cuanto más te gusten los demás, más les gustarás y más querrán comprarte, estar asociados contigo, estar casados contigo y tenerte como amigo.

A lo largo de tu vida encontrarás que las personas con la mayor autoestima tienen las personalidades más positivas y son las más populares donde quiera que vayan. Parece haber una correlación directa entre la autoestima, el éxito y la felicidad en cada área de la vida.

Tiempo de reacción rápido

Aquí está el gran avance: así como te conviertes en lo que piensas la mayor parte del tiempo, también te conviertes en lo que te dices la mayor parte del tiempo. La mayoría de tus emociones está determinada por la forma en que hablas contigo a lo largo del día.

Cuando hablas contigo de una manera fuerte y positiva, utilizando afirmaciones positivas sobre la persona que idealmente te gustaría ser, estos comandos son aceptados por tu mente subconsciente y de inmediato influyen en tus pensamientos, tus sentimientos y tus comportamientos.

Las palabras más poderosas que puedes usar para desarrollar tu autoestima son: "¡Me gusto a mí mismo!".

Cada vez que dices: "¡Me gusto!", tu autoestima se incrementa. A medida que tu autoestima aumenta, tu autoimagen mejora. A medida que mejora tu autoimagen, sientes que avanzas hacia la persona ideal que deseas ser. Tu personalidad completa entra en equilibrio. Comienzas a evolucionar y a crecer de una manera positiva.

Toma el control de tu evolución como persona

Maravillosamente, no importa qué te haya pasado en la primera infancia para disminuir tu autoestima o dañar tu autoimagen, pues como adulto puedes tomar el control completo de la evolución de tu propia personalidad. Puedes tomar una decisión, ahora mismo, para convertirte en una persona completamente positiva.

Comienza hoy repitiendo las palabras mágicas "Me gusto" una y otra vez, diez, 20, 50 veces al día.

Siempre que te sientas infeliz, preocupado o angustiado por cualquier motivo, puedes cancelar las emociones negativas repitiendo: "¡Me gusto!" hasta que los sentimientos negativos desaparezcan.

No importa lo que te haya pasado cuando eras niño, puedes volver como adulto y reprogramar tus sentimientos inconscientes acerca de ti al aumentar tu autoestima cada vez más. Cuanto más te gustes, mejor estarás en cada área de tu vida. Cuanto más te gustes, más feliz y más seguro te volverás. Cuanto más te gustes, más optimista y alegre serás. Cuanto más te gustes, más cambiará tu vida para mejorar.

Ejercicio: escribe una lista de las tres cualidades que más te gustan de ti. Por ejemplo: ¿por qué eres una buena persona?

¿Cuáles son tus mejores cualidades? ¿Qué te hace ser un valioso amigo, cónyuge o padre? Siempre que pienses en estas cualidades, puedes mirarte en el espejo y decir con convicción: "¡Me gusto!".

Capítulo 2

Qué te detiene

Las cosas más grandiosas —grandes pensamientos, descubrimientos, inventos—, generalmente han sido nutridas en la privación, a menudo ponderadas por la tristeza y finalmente establecidas con dificultad.
Samuel Smiles

Cada niño llega al mundo con un potencial puro, con la capacidad de convertirse en una persona extraordinaria, hacer cosas maravillosas y disfrutar de altos niveles de salud, felicidad y prosperidad durante toda la vida.

La gente de hoy puede vivir más tiempo y mejor de lo que ha sido posible para la raza humana, y con los avances modernos en medicina y conocimiento, la esperanza de vida aumenta cada año.

Como mencioné en el capítulo anterior, los niños nacen como optimistas completos, intrépidos y desinhibidos, entusiasmados y curiosos, y deseosos de tocar, probar, oler y sentir todo lo que los rodea. ¿Alguna vez has visto un bebé negativo?

Errores que cometen los padres

Sin embargo, a temprana edad, como resultado de los errores que cometen los padres, los niños pronto comienzan a experimentar críticas destructivas y falta de amor. Estos dos comportamientos, ya sea solos o en conjunto, son las principales fuentes de infelicidad y disfunción en la vida adulta.

La crítica destructiva es el mayor enemigo individual del potencial humano. Se podría argumentar que sus efectos son incluso peores que los del cáncer o los de la enfermedad cardiaca. Mientras esas enfermedades afectan el cuerpo físico y algunas veces pueden conducir al deterioro y a la muerte del individuo, la crítica destructiva mata el alma de la persona desde el principio pero deja al cuerpo caminando.

Cuando los padres intentan controlar a sus hijos, dándoles amor y quitándoselo como una forma de castigo, siembran las semillas de la inseguridad profunda dentro de ellos. Esta inseguridad se manifiesta en una plétora de problemas emocionales y mentales, desde sentimientos de duda, ansiedad, preocupación y una fuerte sensación de inadecuación y de no merecer nada bueno en la vida, hasta falta de motivación, miedo a no estar a la altura de las expectativas de los demás y a buscar la perfección e incapacidad para enfrentar problemas o lidiar con conflictos de manera efectiva.

Las dos emociones negativas principales

Hay muchas emociones negativas, pero casi todas están arraigadas en dos principales: miedo al fracaso y miedo al rechazo.

El miedo al fracaso se manifiesta en la vida adulta como un miedo a la pérdida. Las personas que han sido criticadas destructivamente cuando niños temen la pérdida de dinero, la pérdida de la salud, la pérdida de posición, la pérdida de la seguridad y la pérdida del amor de otras personas. No importa cuánto logren en sus carreras, les atormenta el miedo a que se lo quiten y tengan que volver a empezar sin nada.

El miedo al rechazo se experimenta como un miedo a la crítica que puede llegar a ser tan extremo que el individuo se vuelve hipersensible a los pensamientos, las palabras, las opiniones e incluso miradas de otras personas, incluidos los extraños. Además, las personas sienten temor a la desaprobación, a no ser del agrado de otros a quienes desean impresionar.

El miedo al rechazo lleva a temer la pérdida del respeto de las personas que son importantes para nosotros. Las personas con este miedo tienen temor a la vergüenza o al ridículo de cualquier tipo, especialmente en presencia de otros. El miedo al rechazo es la causa raíz del miedo a hablar en público, calificado por encima del temor a la muerte entre los principales temores de la vida.

Unas palabras de Christina

Lucho con el miedo a hablar en público y recientemente aprendí un concepto increíblemente valioso (gracias a mi padre, Brian). Cuando te estás preparando para hablar o presentar en público y el pánico escénico comienza a aparecer, la clave es convencerte de que tu audiencia, grande o pequeña, quiere que tengas éxito, que hagas una buena presentación. Ellos no están ahí para juzgarte; están ahí para aprender, escuchar o entretenerse.

Imagina que no tuvieras limitaciones

A menudo hacemos dos preguntas en nuestros seminarios para ayudar a las personas a ver el papel que juega el miedo en su vida y en sus decisiones. Primero, preguntamos: "Imagina que hoy fueras financieramente independiente y que tuvieras todo el dinero que pudieras gastar por el resto de tu vida. ¿Qué harías diferente? ¿En qué te meterías o de qué te saldrías? ¿Qué empezarías a hacer o dejarías de hacer?".

Esta pregunta puede ser una verdadera revelación. Hay muchas situaciones en tu vida que cambiarías inmediatamente si no tuvieras miedo a la pobreza en absoluto. Si tuvieras todo el dinero que quisieras o necesitaras, probablemente harías cambios drásticos en tu vida.

Las personas diseñan su vida para compensar sus miedos. Aceptan trabajos de nivel inferior al que realmente son capaces de desempeñar a cambio de seguridad. Permanecen en relaciones infelices en lugar de arriesgarse a estar solas o ser solteras. Eligen amigos que son pasivos y no críticos para que puedan estar seguras de nunca ser criticadas, avergonzadas o rechazadas.

Unas palabras de Christina

El miedo a no tener o no ser suficiente es uno de los obstáculos más comunes que impiden que las personas avancen, especialmente en el aspecto profesional. Recientemente asistí a un taller de capacitación profesional. Una de las actividades fue identificar una cosa que nos impidiera avanzar.

De este grupo, 90% de los asistentes sintió que necesitaba más capacitación, más experiencia o más conocimiento para tener más éxito en su campo. Antes de la actividad, cada uno habíamos explicado nuestro nivel de éxito profesional. Me impresionó lo que había logrado cada persona. Fue sorprendente escuchar que incluso aquellos con los currículums más impresionantes dudaban de sí mismos.

LA GRAN PREGUNTA

La segunda pregunta que hacemos es: "¿Qué gran cosa te atreverías a hacer si supieras que no puedes fallar?".

Si tuvieras garantizado el éxito en cualquier cosa, ya sea grande o pequeña, a largo o corto plazo, ¿qué objetivo tan grande, emocionante y desafiante te fijarías?

Esta pregunta ayuda a las personas a identificar los miedos que las están deteniendo. Si tuvieras el éxito garantizado en cualquier cosa que intentaras, probablemente te comprometerías con tu "deseo del corazón", la gran cosa maravillosa que puedes hacer con tu vida y para la cual naciste.

La jerarquía de necesidades

Abraham Maslow, el gran psicólogo, revirtió el estudio de la psicología a finales de la década de 1940. En lugar de hacer lo que todos los demás hicieron, que era estudiar personas infelices e intentar discernir las razones de sus problemas, Maslow se centró en las personas felices y en las características que compartían.

Entre otras ideas, Maslow desarrolló su famosa jerarquía de necesidades. Concluyó que cada persona tiene una serie de cinco necesidades básicas que deben ser satisfechas, en orden, para que la persona desarrolle todo su potencial.

En la base de la pirámide de la jerarquía de necesidades está la *supervivencia*, la preservación de la vida, el impulso más poderoso de la naturaleza humana. Una vez que una persona tiene asegurada la supervivencia, se gradúa al siguiente nivel de necesidades: la *seguridad*. Esta necesidad se satisface cuando el individuo tiene suficiente comida, ropa, refugio y dinero para que ninguna de estas necesidades sea apremiante.

Una vez que el individuo ha satisfecho sus necesidades de supervivencia y seguridad, pasa al tercer nivel de la jerarquía: la satisfacción de las necesidades de *pertenencia*. Cada persona tiene un profundo deseo de ser parte de un grupo de personas para ser reconocida y aceptada por ellas. Ésta es una necesidad tan importante para un individuo como la comida, la bebida y el refugio.

DEPENDIENDO DE LOS DEMÁS

Es importante que te des cuenta de tu necesidad de contacto humano y pertenencia para comprender cómo avanzar cuando te sientas atascado. Como bebés, somos completamente vulnerables y dependemos de nuestro cuidador principal para la supervivencia física y la comodidad emocional. A medida que nos hacemos adultos, transferimos nuestros apegos a nuestros pares u a otras personas importantes, y dependemos de esas relaciones para nuestra salud emocional e incluso para nuestra supervivencia.

La razón por la cual el miedo al rechazo es tan poderoso es que la idea de estar completamente solo se siente emocionalmente amenazante para la vida. Dependemos tanto de la aceptación y el apoyo de los demás que aprendemos a reprimir nuestras verdaderas necesidades para mantener a nuestros amigos y compañeros cerca.

Unas palabras de Christina

Trabajé con un joven que había aprendido que para mantener a sus padres felices y atentos a él, tenía que reprimir sus propias necesidades y mantener una actitud cooperativa y relajada. Había descubierto que cuando tenía emociones fuertes, positivas o negativas, sus padres no respondían bien. Se alejaban de él. Pronto aprendió a reprimir sus sentimientos y sus reacciones para no perder la aprobación de sus padres.

Cuando creció, se desconectó tanto de sus verdaderos sentimientos que experimentó una baja autoestima y confianza, tanto personal como profesionalmente. Le llevó mucho tiempo aprender que sus deseos y sus necesidades personales eran tan válidos como los de cualquier otra persona, incluidos sus padres.

NECESIDADES DE DEFICIENCIA VS NECESIDADES DEL SER

Estos tres primeros tipos de necesidades (supervivencia, seguridad y pertenencia) se definen como "necesidades de deficiencia".

En su ausencia, el individuo se preocupa por satisfacerlas, excluyendo todo lo demás. Pero una vez que se satisfacen, el individuo se mueve hacia la satisfacción de las necesidades de orden superior o "necesidades del ser", la cuarta de las cuales es la *autoestima*.

Casi todo lo que hacemos hoy en la vida es para lograr sentimientos de autoestima o para compensar su falta. Tu autoestima, cuánto te gustas a ti mismo, yace en el núcleo de tu personalidad y determina en gran medida la calidad de tu vida emocional.

En la jerarquía de Maslow, una vez satisfechas las necesidades de autoestima, el individuo se mueve al nivel más alto: la satisfacción de las necesidades de *autorrealización*. La autorrealización, como la define Abraham Maslow, consiste en "convertirse en todo aquello que uno es capaz de llegar a ser".

NECESIDADES MAYORES

Más tarde, Maslow llegó a la conclusión de que hay dos necesidades aún más elevadas, que surgen naturalmente una vez que una persona ha satisfecho las necesidades de supervivencia, seguridad, pertenencia, autoestima y autorrealización. Éstas son las necesidades de *verdad* y *belleza*.

A lo largo de la historia de la civilización humana, hay ejemplos en los que personas y sociedades adineradas invirtieron enormes cantidades de dinero y trabajo en filosofía, en literatura, en poesía y en la búsqueda de la verdad. Luego invirtieron sustancialmente en arte, arquitectura, joyas, edificios públicos y hermosas casas y castillos, todo en busca de la belleza.

La persona completamente funcional

El psiquiatra William Glasser definió a una persona que ha alcanzado los niveles más altos de desarrollo mental y emocional como *completamente funcional*. Ésta es una persona que disfruta de altos niveles de autoestima y satisfacción individual, y que está completamente relajada consigo misma y con el mundo. La característica más identificable de una persona en pleno funcionamiento parece ser que es completamente "no defensiva".

La persona completamente funcional no siente que tiene que justificarse o explicarse ante nadie por nada. Vive su vida totalmente de acuerdo con sus propios pensamientos, sentimientos, valores e ideales. Es cálida, amable, feliz y encantadora, y posee una "personalidad completamente madura y totalmente integrada". Alcanzar este nivel es uno de nuestros objetivos más importantes.

QUÉ NOS DETIENE

La pregunta es: ¿qué mantiene a las personas en los niveles más bajos de satisfacción o insatisfacción? ¿Qué causa que las personas se preocupen por la supervivencia, la seguridad y las necesidades de pertenencia? La respuesta: las emociones negativas.

Debido a la crítica destructiva y a la falta de amor, los niños comienzan a desarrollar emociones negativas a una edad temprana. A medida que se convierten en adultos, estas emociones pueden volverse más y más intensas, y generar emociones negativas adicionales de varios tipos.

Las principales emociones negativas que experimentan las personas son el miedo, la duda, la preocupación, la envidia, los celos, el resentimiento, la indiferencia y los sentimientos de inadecuación, especialmente en comparación con los demás.

El miedo, la duda y la preocupación surgen cuando el niño es continuamente criticado cada vez que comete un error de cualquier tipo. Incluso si logra algo que vale la pena, nunca es suficiente para satisfacer a sus padres. Además, los padres rara vez expresan amor o aprobación, o si lo hacen, lo retiran inmediatamente si sienten que el niño no los está complaciendo de alguna manera.

CONVERTIRSE EN UNA PERSONA COMPLETAMENTE FUNCIONAL

Tu objetivo es convertirte en una persona completamente funcional, pero la mayoría de nosotros no lo ha logrado. Como resultado, la mayoría de las personas mira a los demás para validar las decisiones que toma. A menudo, cuando alguien más tiene una opinión diferente o toma decisiones contrarias a la suya, las personas indecisas pueden sentirse inseguras o amenazadas. Preguntan: "¿Qué opción es la mejor?".

Unas palabras de Christina

Jon es un hombre de mediana edad que lucha por ser decisivo y proactivo en su vida. Él tiene una familia muy cercana y es uno de tres hijos. Sus relaciones con su familia son importantes para él. A menudo busca la opinión de su madre y su hermano.

Después de trabajar con Jon durante varios meses, me di cuenta de que cada vez que buscaba el consejo de su madre, aumentaban sus niveles de ansiedad. Si estaba de acuerdo con ella y hacía lo que ella decía, entonces su mamá era solidaria y cariñosa. Sin embargo, si hacía o incluso pensaba en hacer algo que ella no aprobara, dejaba de hablar con él durante un par de semanas. Se sentía paralizado, incapaz de avanzar porque sabía que eso significaba molestar a su mamá y ser rechazado por su familia.

He trabajado con varios clientes con la misma experiencia. Lo que los detiene y los mantiene estancados es el miedo de que si hacen algo nuevo o diferente, podrían perder el amor o la aprobación de una persona importante en su vida. Como resultado, se quedan estancados en el mismo lugar durante años.

La envidia y el resentimiento

La envidia y el resentimiento son emociones negativas que surgen de profundos sentimientos de inadecuación e inferioridad. Parecen ir juntos, del brazo, como gemelos.

La envidia es una de las peores emociones negativas. Es el único de los "siete pecados capitales" por el cual no hay *recompensa* para la persona envidiosa. Se puede envidiar a otra persona hasta el punto de estar furioso por dentro, pero no tiene ningún efecto sobre el objetivo y no le da ningún beneficio o placer a la persona obsesionada con la envidia. La envidia generalmente se aprende de uno o ambos padres como resultado de que continuamente se les dice que las personas que son más exitosas o felices son fundamentalmente malas o deshonestas.

En nuestra sociedad actual la envidia impulsa la mayoría de las decisiones sociales y políticas, tanto a nivel nacional como internacional. La envidia siempre está dirigida hacia el exterior, hacia alguien, "el enemigo", que está haciendo algo mejor que la persona que experimenta el sentimiento de envidia. Debido a que esta persona se considera mala, debe ser derribada o castigada de alguna manera.

Lo desafortunado de la envidia es que nunca puede ser satisfecha. En todo caso, crece y empeora con el tiempo. Y causa mucho más daño a la persona que experimenta la emoción que a la persona o al grupo al que va dirigido.

LA ADMIRACIÓN ES POSITIVA

Admirar algo que otra persona ha logrado no es lo mismo que la envidia. Es importante querer cosas que otras personas tienen porque nos motiva a lograr lo mismo.

Debido a las leyes mentales de atracción y repulsión, lo peor que puedes hacer es envidiar a los demás o sentir resentimiento hacia ellos. Cuando lo haces, estableces un campo de fuerza de energía negativa que expulsa y repele el éxito y la felicidad de tu propia vida. El malentendido de este concepto básico es una razón importante para la frustración, el descontento y el bajo rendimiento de muchas personas.

EL RESENTIMIENTO REQUIERE DE UN ENEMIGO

El hermano gemelo de la envidia es el resentimiento. Al igual que la envidia, el resentimiento surge cuando alguien siente que otra persona ha logrado o disfruta de una mejor situación de vida que la propia. Ciertas filosofías políticas definitivamente requieren un enemigo, alguien a quien la envidia y el resentimiento puedan dirigirse para justificar las políticas o la plataforma de los líderes del partido. No te dejes atrapar en las arenas movedizas emocionales del resentimiento por lo que dicen los demás.

Los celos y la baja autoestima

La emoción negativa de los celos proviene de la baja autoestima, un sentimiento de indignidad e inadecuación, la idea de que uno nunca podría ser realmente amado por otra persona.

Un poco de celos puede ser normal y natural, especialmente al crecer y al compararnos con aquellos que parecen ser más atractivos o mejores que nosotros, pero demasiados celos se convierten en lo que Shakespeare llamó el "monstruo de ojos verdes". Puede ser terriblemente destructivo para la persona que experimenta los celos, lo que lleva a comportamientos irracionales y a relaciones arruinadas.

Todas las emociones, especialmente aquellas que son negativas, distorsionan las evaluaciones. Una persona en las garras de una emoción negativa es incapaz de pensar clara o racionalmente. Cuanto más intensa es la emoción negativa, más se desapega el sujeto de la realidad y es incapaz de razonar con claridad. Por lo mismo, habla y actúa de una manera que a menudo es inexplicable y completamente destructiva.

Todos tenemos nuestros "momentos de locura"

En 1982, una escritora de Nueva York, Abigail Trafford, que había pasado un divorcio de dos años particularmente amargos, escribió un libro llamado *Crazy Time*. En él, explicó cómo los dos años de su divorcio emocionalmente caóticos la llevaron a comportarse de una manera que apenas podía reconocer cuando el divorcio había terminado y ella había vuelto a la normalidad. Sintió que había estado "loca" durante todo el tiempo debido a la intensidad de la negatividad que estaba sintiendo. Las emociones distorsionan las evaluaciones.

Los grandes cambios en la vida, como un nuevo trabajo, mudarse, el nacimiento de un hijo y el final de una relación, pueden dar como resultado breves periodos de sentirse abrumados e irracionales. Recuerda la jerarquía de Maslow: los seres humanos necesitan sentirse seguros y a salvo o se consumen buscando la satisfacción de esa necesidad. Cuando nos sentimos inseguros por alguna razón, todo en lo que podemos pensar es en recuperar nuestra seguridad donde sea que falta, algo similar a pensar constantemente en comida cuando tenemos hambre.

Unas palabras de Christina

Cuando trabajo con clientes que están atravesando una transición de algún tipo, hablamos de la idea de que probablemente se sientan ansiosos e inseguros hasta que hayan pasado por el cambio y se encuentren arraigados de nuevo.

Tener un bebé es un buen ejemplo. Recuerdo que después del nacimiento de cada hijo (tengo tres) la vida parece caótica y abrumadora. Esto es bastante normal y natural; casi siempre es un momento estresante y emotivo para la familia. Eventualmente, sin embargo, todo se suaviza y vuelve a la normalidad.

Cinco factores que crean emociones negativas

Hay cinco factores principales que hacen que las personas creen emociones negativas y se aferren a ellas. Para liberarte de las emociones negativas, debes reconocer de dónde vienen para deshacerte de ellas, o incluso evitar que se desarrollen en primer lugar.

I. JUSTIFICACIÓN

La primera causa de las emociones negativas es la justificación. Las emociones negativas no pueden existir a menos que puedas explicarte a ti y a los demás por qué tienes derecho a sentirte como te sientes con respecto a cierta persona o situación. Cuando estás discutiendo la situación negativa, te preocupas por justificar tu negatividad con diversos motivos. A menudo hablas contigo, presentas tu caso y discutes vehementemente con personas que no están ahí.

Cuanto más te justifiques y te convenzas de que la otra persona está equivocada y es mala, que tú eres puro e inocente, y que, por lo tanto, tienes derecho a sentirte de la manera en que lo haces, más enojado y molesto estarás.

2. IDENTIFICACIÓN

El segundo requisito para que existan las emociones negativas es la identificación. Esto significa que tomas las cosas personalmente. Ves lo que sucedió como un ataque personal y sientes que se han aprovechado de ti de alguna manera.

Otro término para esto es lo que los científicos del comportamiento llaman *error de atribución fundamental*. Esto significa que cuando alguien más hace algo que nos lastima o nos ofende, culpamos a su comportamiento por tener alguna deficiencia de carácter. Sin embargo, si hacemos algo para ofender o molestar a otra persona, lo excusamos como un accidente o lo atribuimos a fuerzas externas.

Si no puedes identificarte con una persona o una situación negativa, es difícil generar cualquier emoción, positiva o negativa, sobre esa persona. Por ejemplo, si lees en el periódico que miles de personas —hombres, mujeres y niños— fueron arrastradas y se ahogaron trágicamente en una inundación en el norte de China, es posible que sientas un poco de tristeza, pero luego pasarás la página al siguiente tema sin emoción en absoluto. Como no conoces a ninguna de las personas afectadas, ni siquiera conoces esa parte del mundo, no te identificas con la tragedia. Como resultado, no experimentas emociones negativas cuando lo lees.

3. HIPERSENSIBILIDAD

La tercera causa de las emociones negativas es la hipersensibilidad a los pensamientos, las opiniones o las actitudes de los demás hacia ti. Cuando una persona ha sido criada con críticas destructivas y falta de amor, puede desarrollar profundos sentimientos de inferioridad e inadecuación. Estos sentimientos se manifestarán como una preocupación excesiva sobre las acciones, las reacciones y el tratamiento que experimenta de otras personas.

Una palabra positiva o un comentario de aprobación de otro puede causar que te sientas eufórico. Una mirada negativa o un comentario puede hacer que te sientas infeliz. Las personas verdaderamente hipersensibles a menudo ven desaires y desaprobación donde no existen. Tienden a imaginar que otras personas están pensando y hablando sobre ellas a sus espaldas. En casos extremos, las personas hipersensibles se paralizan porque no pueden tomar una decisión sin obtener la aprobación de otras y, a menudo, de mucha gente.

4. LA MALDICIÓN DEL JUICIO CRÍTICO

La cuarta razón para las emociones negativas es el juicio crítico: la tendencia de las personas a juzgar a los demás de manera negativa. Cuando juzgas a los demás de manera desfavorable, invariablemente los declaras culpables de algo. Esta culpa se convierte en la justificación de tu enojo y tu resentimiento hacia ellos.

La Biblia dice: "No juzguen y no serán juzgados". Esto significa que cuando juzgas a los demás en realidad traes negatividad e infelicidad sobre ti mismo. Cuando juzgas, te estás configurando como alguien que cree que es superior a la otra persona, haciéndola inferior a ti.

Si no juzgas al otro por alguna razón, no puedes estar enojado con esa persona. Sólo cuando puedes demostrar que la otra persona ha hecho o dicho algo que te ha lastimado (o que esa persona no ha podido hacer algo) puedes estar enojado.

El punto de partida para eliminar el juicio crítico de tu vida es decidir, a partir de ahora, no juzgar a nadie por nada, a menos que sea para admirarlos y elogiarlos.

Ejercicio: muy a menudo juzgamos a otra persona por algo que no nos gusta en nosotros mismos, o estamos celosos de esa persona y queremos ser capaces de comportarnos de la manera en que ella lo hace. La próxima vez que te encuentres juzgando, explora la motivación. ¿No te gusta un rasgo similar en ti? ¿O desearías poder comportarte de la forma en que lo hace esa persona?

Practica el desapego

Lo contrario de juzgar y condenar es la práctica del desapego: alejarse de la persona, permanecer impasible y elevarse por encima de la situación.

Cuando juzgas a otro, te vuelves emocional, y las emociones distorsionan las evaluaciones. Cuanto más juzgas y condenas, más enojado y más descontrolado te vuelves.

Si te criaron en una familia con alguien que continuamente se quejaba o criticaba a los demás, es posible que hayas desarrollado la falsa idea de que juzgar y condenar a los demás es algo normal y natural. La simple idea de permanecer neutral y distante cuando alguien hace o dice algo con lo que no está de acuerdo puede parecerte extraño al principio.

Otra forma de mantenerse neutral es ser curioso. No es posible hacer preguntas y enojarse o juzgar al mismo tiempo. Todos los que conoces tienen una historia de algún tipo; a veces puedes ser crítico porque no conoces las razones del comportamiento de las personas. Haz preguntas, no para respaldar tu posición sino para comprender mejor de dónde viene.

A menudo encontrarás que la verdad de la situación es completamente diferente de lo que parecía ser.

Utiliza correctamente tu mente

Tienes una mente maravillosa. Pero es una espada de doble filo. Puedes usarla para ser feliz o puedes usarla para enojarte. Tu objetivo debe ser utilizar tu inteligencia para mantenerte en calma, en control y en paz, sin importar lo que esté sucediendo a tu alrededor. Krishnamurti, el sabio indio, dijo: "Mi secreto para el éxito es sencillo: simplemente no me importa mucho nada".

Cuando las personas se comporten mal, abstente de juzgar. Cuando las personas hagan o digan cosas que parecen ser negativas e innecesarias, mantén la calma y la distancia. Retrocede mentalmente y obsérvalos con imparcialidad, sin molestarte ni involucrarte.

La mejor manera de dejar de juzgar es tener compasión por la otra persona. Es casi imposible tener compasión hacia otra persona por su comportamiento y juzgarlo negativamente al mismo tiempo. Aún mejor, puedes bendecir, perdonar y dejar ir. Levántate por encima de ello. No permitas que el comportamiento de la otra persona te afecte de alguna manera. Cambia tu enfoque a algo que te haga feliz. De esta forma neutralizarás el pensamiento negativo y cualquier tendencia a juzgar a otra persona.

Sé paciente y empático

Cuando trates con una persona difícil, trátala exactamente como si fuera un niño cansado, hambriento e irritable, enojado o incluso haciendo un berrinche. No te enojas con un niño; tienes compasión. Simplemente aceptas que ésta es la manera en que los niños se comportan en ciertos momentos, bajo ciertas circunstancias.

Otra forma de abstenerte de juzgar es recordar que si tú estuvieras en la misma situación podrías actuar de la misma manera. Puedes simplemente reconocer que todas las personas tienen derecho a pensar y a sentir a su manera. Permite que otros se expresen de la misma forma como te gustaría que se te permitiera expresarte.

El método Sedona

Hay un método para recuperar el control emocional en tu vida, llamado método Sedona y creado por Lester Levenson, mediante el cual se te pide que identifiques a las personas en tu pasado con las que todavía estás enojado. También, que identifiques las situaciones de tu pasado por las que todavía estás molesto, esas cosas que hiciste o dejaste de hacer.

Luego te hacen dos preguntas; primero: "¿Deseas liberarte de la negatividad asociada con este infeliz recuerdo?". Si tu respuesta es sí, entonces la segunda pregunta es: "¿Estás dispuesto a dejarlo ir por completo?".

Es asombroso cuántas personas no están dispuestas a dejar atrás un evento negativo que les sucedió en el pasado. Sienten que se han ganado el dolor y lo han pagado con tiempo, dinero y sufrimiento personal. Se sienten con derecho a su dolor. En el fondo de su corazón, no están dispuestas a dejarlo ir. Pero sin la voluntad de hacerlo, estas personas no pueden recibir ayuda.

Haz la prueba del lápiz

Éste es el ejemplo usado en el método Sedona. Toma un lápiz en tu mano. Apriétalo bien. Apriétalo aún más fuerte, tan fuerte como puedas.

Imagínate aferrándote fuertemente a este lápiz durante una hora, un día, un mes, o incluso años. ¿Qué pasaría con tu mano y tu brazo? Estarían atrofiados e incluso inmóviles, paralizados.

¿Qué pasaría si te aferraras fuertemente a una experiencia negativa durante meses y años? Parte de tu personalidad se dañaría con enojo y amargura.

Ahora extiende tu brazo y abre tu mano con la palma hacia el piso mientras aprietas el lápiz. Aquí está la pregunta: ¿qué sostiene el lápiz en tu mano?

La respuesta es obvia. Tú lo sostienes y lo aprietas con fuerza.

La siguiente pregunta también es obvia: ¿cómo te deshaces del lápiz? ¿Cómo lo separas de tu mano? La respuesta es simple. Abre tu mano y déjalo caer. Déjalo ir.

Éste es un maravilloso ejemplo de la simplicidad de eliminar un evento negativo de tu vida de manera permanente. Con el lápiz, abres tu mano y lo sueltas. Con una experiencia negativa que todavía te hace infeliz, abres tu corazón y la dejas ir.

Tú decides tus emociones

Recuerda: nadie te hace sentir nada. Nadie te hace enojar. Nada de lo que te ha pasado tiene control sobre ti. Ningún evento, circunstancia o persona previa puede afectar tus emociones sin tu permiso. Sólo tú eres el que te hace sentir algo, positivo o negativo, por la forma en que interpretas ese evento pasado.

Una de las más bellas de todas las emociones es la compasión. Sentir compasión por alguien significa comprender las emociones que siente la otra persona y luego aceptar esas emociones.

Cuando usas tu mente maravillosa con el propósito de encontrar razones para no juzgar, para dejar a la otra persona fuera de peligro y para liberarte de cualquier daño pasado, tomas el control total de tu pensamiento y de tus emociones. En lugar de encontrar razones por las cuales la otra persona es culpable y debe ser condenada y castigada, encuentras razones para declararla inocente y dejarla en libertad.

Escríbelo y ¡déjalo ir!

Aquí hay un ejercicio simple que funciona para muchas personas. Toma una hoja de papel y escribe los nombres de las personas con las que aún estás enojado. Escribe las cosas que te hicieron sentirse justificado en tu enojo y tu condena.

Luego toma este pedazo de papel, rómpelo y tíralo a la basura. De esta manera puedes usar tu poder de elección para liberarte del dolor del pasado, para dejarlo atrás o destruirlo por completo y poder disfrutar la libertad y la alegría del futuro.

5. RACIONALIZACIÓN

La quinta causa de las emociones negativas es la racionalización. Esto ocurre cuando usas tu mente racional para poner una explicación socialmente aceptable sobre tu propio acto inaceptable. Tú lo explicas.

Debido a la baja autoestima y los egos débiles, la mayoría de la gente no puede admitir que ha hecho o dicho algo que no fue del todo razonable y justificado por su parte. Incluso los peores criminales sienten que son inocentes y meramente víctimas de alguien, de algo o de la sociedad. Ellos racionalizan sus comportamientos.

Elimina la expresión de las emociones negativas

Peter Ouspensky, en su libro *En busca de lo milagroso,* explicó que casi toda infelicidad proviene de la expresión de emociones negativas. Es la constante conversación y repetición de una situación negativa que mantiene las emociones negativas vivas y en crecimiento.

En este sentido, tus emociones negativas se pueden comparar con un incendio forestal que comienza con una chispa pero puede extenderse rápidamente fuera de control. Pero si una chispa cae sobre un pincel seco y la apagas inmediatamente, no se inicia ni se propaga el fuego. De la misma manera, si detienes la emoción negativa en el momento en que se activa, se apaga rápidamente, como un fuego pequeño, y no causa daños.

Sin embargo, si continuamente hablas sobre la causa de la emoción negativa, tanto contigo como con los demás, pronto puedes perder el control, como un incendio, y abrumar completamente tus pensamientos y tus emociones, con la exclusión de cualquier otro pensamiento o sentimiento. Pronto pierdes tu capacidad para pensar con claridad.

La peor emoción de todas

Todas las emociones negativas, tarde o temprano, se reducen a una: el enojo. El enojo es la máxima emoción negativa. Todo el miedo, la duda, los celos, la envidia y el resentimiento eventualmente se convierten en enojo de algún tipo. Este enojo se dirige *hacia el interior*, volviéndote física y emocionalmente enfermo, o *hacia el exterior*, socavando y destruyendo tus relaciones con los otros.

Todas las personas infelices están enojadas. La depresión es un enojo dirigido hacia el interior, causado por la incapacidad de la persona para expresar sus sentimientos o hacer algo acerca de una situación abierta y honestamente. El intento por descubrir este conflicto interno es la base de la psicología moderna, que se remonta hasta Sigmund Freud.

El objetivo principal del asesoramiento psicológico de cualquier tipo es ayudar al individuo a "sacarlo de su pecho" y dejar escapar las emociones y las experiencias negativas que lo están reteniendo.

La principal razón del enojo es que el individuo se siente agredido, atacado, lastimado o abusado por otra persona o personas. El enojo es una actitud defensiva enraizada en la tristeza, un deseo de devolver el golpe a alguien que te ha lastimado.

LA EXPRESIÓN DEL ENOJO

Una de las peores cosas del enojo es que cuanto más lo expresas, más te enojas. Cuanto más hables, justifiques y racionalices por qué tienes derecho a estar enojado, mayor será el enojo, como un incendio. Muchas personas han estado enojadas por tanto tiempo que llegan al punto en que el evento más pequeño desencadena una explosión de enojo. Pasan la vida enojadas la mayor parte del tiempo. Pronto llegan a creer que la sensación de enojo y aprovecharse de ella es una forma normal de pensar y sentir.

El núcleo del enojo es la culpa. La capacidad de culpar a alguien por algo que ha hecho o dejado de hacer es el requisito esencial para el sentimiento y la expresión del enojo y las emociones negativas de todo tipo.

No es posible mantener una emoción negativa durante un periodo de tiempo a menos que puedas culpar a alguien o a algo por la situación por la que estás enojado. En el momento en que dejas de culpar, la emoción negativa se detiene por completo; es como apagar un interruptor de luz.

Aceptar la responsabilidad en lugar de culpar a los demás

El antídoto contra las emociones negativas, la culpa y el enojo es tan simple y efectivo que es casi abrumador. Las personas que han sido negativas, enojonas e infelices durante años pueden cambiar sus emociones negativas casi instantáneamente con una técnica simple pero poderosa.

Dado que todas las emociones negativas tienen sus raíces en la culpa y en el enojo lo que significa que alguien más ha hecho algo para enojarte o hacerte infeliz, la respuesta es simple: en lugar de culpar a los demás, acepta la responsabilidad de la situación.

Cuando aceptas la responsabilidad completa de la situación, por lo que sea que haya sucedido, tus emociones negativas se detienen; es como pisar el freno bruscamente. Es imposible aceptar la responsabilidad por una situación y estar simultáneamente enojado o descontento con lo mismo. La aceptación de la responsabilidad cancela toda la negatividad asociada con la situación o la persona.

"SOY RESPONSABLE"

¿Cómo aceptas la responsabilidad? Simplemente di: "¡Soy responsable!".

Cuando estés enojado o descontento por cualquier motivo, repite una y otra vez: "¡Soy responsable!". Hasta que la sensación negativa desaparezca.

Éste es un descubrimiento sorprendente que transforma totalmente la vida de cada persona que lo practica. Tu mente puede contener sólo un pensamiento a la vez, ya sea positivo o negativo. Puede contener la emoción positiva de la responsabilidad personal o puede contener una emoción negativa de cualquier tipo.

Y la elección siempre depende de ti. Lo único en el universo que puedes controlar es el contenido de tu mente consciente. Si eliges mantener el pensamiento "soy responsable" en lugar del pensamiento negativo que te hace infeliz, te vuelves positivo, optimista y calmado, a veces tan sólo en unos segundos.

NO EXPRESES SENTIMIENTOS NEGATIVOS

Como mencioné antes, la infelicidad proviene de la expresión de emociones negativas, ya sea de forma interna, externamente, o en ambas situaciones. Si no expresas tus emociones negativas, desaparecen de manera rápida.

A partir de este momento, en lugar de utilizar tu maravillosa inteligencia para pensar en las razones por las que debes tener miedo, duda, envidia, celos, resentimiento y enojo por las cosas que han sucedido, usa tu mente con el propósito de encontrar razones para no expresar tus sentimientos negativos, tus justificaciones y tus racionalizaciones.

Una vez más, la forma más poderosa de todo propósito para detener la expresión de emociones negativas es repetir: "¡Soy responsable!", cada vez que ocurra un evento que normalmente desencadenaría una reacción negativa.

JUSTIFICAR Y RACIONALIZAR

En este punto, muchas personas dicen: "¡Espera un minuto! No hay forma de que pueda aceptar la responsabilidad de lo que hizo la otra persona para lastimarme. Aceptar la responsabilidad no sería honesto porque no soy responsable de ninguna manera".

Este enfoque puede ser cierto. Es posible que te hayan robado, engañado, mentido, estafado, traicionado o herido de mil maneras. Es posible que al regresar al estacionamiento te hayas dado cuenta de que alguien chocó tu coche y se dio a la fuga. En un caso así, legalmente no cometiste una falta y no tienes la culpa.

Sin embargo, aquí está la respuesta: eres responsable de tus reacciones. Puede ser que no seas responsable por lo que sucedió, pero eres responsable por la manera en que te comportas después. Y tus reacciones están totalmente bajo tu control. Son una cuestión de elección personal. Nada te hace enojar o ser infeliz. Te enojas o eres infeliz por la forma en que eliges reaccionar ante la experiencia.

USA TU FUERZA DE VOLUNTAD

En el poema de Rudyard Kipling "Si…" ["If–"], dice: "Si puedes mantener la cabeza en su sitio cuando todos a tu alrededor la han perdido y te culpan a ti… ¡serás un hombre, hijo mío!".

La marca de las grandes personas es que pueden ejercer su fuerza de voluntad y su autodisciplina para mantenerse calmadas, conscientes y efectivas, sin importar lo que esté sucediendo a su alrededor. Todos los grandes hombres y mujeres han desarrollado la capacidad de permanecer "frescos bajo el fuego".

Pero recuerda, las emociones distorsionan las evaluaciones. En el momento en que comienzas a culpar a otra persona y te enojas por lo ocurrido, pierdes la capacidad de pensar con claridad y decidir de manera inteligente. Te conviertes en un esclavo de tus emociones. Eres arrastrado rápidamente, y haces y dices cosas de las que luego te arrepientes.

ENCUENTRA RAZONES PARA *NO* EXPRESAR EMOCIONES NEGATIVAS

Usa tu mente con el objetivo de encontrar razones para no expresar emociones negativas. Una de las formas en que puedes hacer esto es, primero, decir: "¡Soy responsable!", y luego examinar la situación para encontrar ejemplos y razones por las cuales podrías ser responsable de alguna manera por lo que sucedió.

Las personas que pasan por malas relaciones a menudo se enfurecen con la otra persona, a veces durante años, cuando la relación o el matrimonio se terminan. Pero cuando dices: "¡Soy responsable!", y buscas las razones por las que esto puede ser así, encontrarás que tomaste muchas de las decisiones que te llevaron a una mala relación en primer lugar. Es posible que no seas totalmente responsable de las acciones de la otra persona, pero eres completamente responsable de todo lo que hiciste o dijiste desde el comienzo de la relación hasta el final, y hasta el día de hoy.

Muchas personas se molestan por un trabajo o un negocio que sale mal. Pero tú eres responsable. Nadie te obligó a entrar en la situación a punta de pistola. Según tu conocimiento e información, o tu falta de conocimiento, te metiste en la situación en primer lugar. No funcionó como esperabas. La próxima vez serás más inteligente y sabio. Pero por el momento, eres responsable.

LA LEY DE LA EMOCIÓN

La *ley de la emoción* dice que todo lo que haces está determinado por una emoción de algún tipo, ya sea positiva o negativa. Las emociones que piensas y de las que hablas pronto crecerán y consumirán toda tu vida, para bien o para mal.

Imagina que tienes dos fuegos ardiendo. Uno es el fuego del deseo y el otro es el fuego de las emociones negativas, basado en tu interpretación de los eventos pasados. Tienes una carga de leña emocional. Puedes poner esta madera en cualquier fuego. Pero si pones toda la madera en un fuego, ¿qué pasa con el otro?

La respuesta es simple. Si pones todas tus emociones en el fuego del deseo y pasas todo el tiempo pensando y hablando acerca de lo que quieres y hacia dónde vas con tu vida, el viejo fuego de las emociones y las experiencias negativas eventualmente muere y las cenizas se enfrían. Éste es el objetivo final de toda curación emocional.

A partir de ahora, cuando algo vaya mal, por cualquier razón, di inmediatamente: "¡Soy responsable!", y evita que la emoción negativa comience en primer lugar.

Tu gran objetivo

Aristóteles fue quizá el más grande de los filósofos antiguos. Una de sus principales contribuciones fue su descubrimiento de lo que él pensaba que eran los fines u objetivos finales del comportamiento humano. Dijo que detrás de todo lo que hacemos hay otra motivación, hasta que volvamos a la motivación central de todo el comportamiento humano, que es ser feliz.

Eres un organismo que busca la felicidad. Tu principal objetivo en la vida es ser feliz, como sea que definas ese estado. Y la mejor medida de la felicidad es con cuánta paz mental cuentas y con qué frecuencia la disfrutas.

La paz mental es el bien humano más elevado. Los mejores momentos de tu vida son aquellos en los que te sientes completamente en paz contigo, con otras personas y con el mundo. Tu objetivo es hacer todo lo posible para alcanzar estos sentimientos de paz y felicidad. Cuando haces esto, todo en tu vida tiende a funcionar para mejorar.

> *Ejercicio*: piensa en los momentos en los que te sentiste más contento, feliz y relajado. ¿Dónde estabas? ¿Con quién estabas? ¿Qué fue lo que te hizo feliz? ¿Cómo podrías duplicar esa experiencia de manera regular?

Locus de control

Hay más de 50 años de investigación en lo que se llama teoría del *locus de control*. En estos estudios, las personas se dividen en dos categorías: las que tienen un locus de control *interno* y las que tienen un locus de control *externo*.

Se experimenta un locus de control interno cuando el individuo siente que está completamente a cargo de sus pensamientos, sentimientos y comportamientos. Un locus de control interno está estrechamente relacionado con la felicidad, el optimismo, la alta energía, la buena salud, las relaciones positivas y el éxito en la vida.

Se experimenta un locus de control externo cuando el individuo siente que tiene poco o ningún control sobre su vida y que está controlado por otras personas u otras circunstancias. Un locus de control externo está estrechamente asociado con sentimientos de angustia, depresión, frustración, impotencia e inferioridad.

Las personas con un locus de control externo tienden a sentirse negativas, pesimistas y enojadas. Son más susceptibles a enfermedades psicosomáticas, depresión y problemas en las relaciones sociales.

Cada vez que culpas a alguien por algo en tu vida, le estás cediendo a esa persona control sobre tus emociones.

Estás renunciando a tu tranquilidad mental con esa otra persona. Estás poniendo a esa otra persona, en lugar de a ti, en control de tu felicidad.

TOMA EL CONTROL DE TUS EMOCIONES

La clave para desarrollar un locus de control interno, para hacerte cargo completamente de ti y de tu vida, es afirmar con firmeza: "¡Soy responsable!", cada vez que tengas ganas de atacar o culpar a alguien por algo.

Existe una relación directa entre la cantidad de responsabilidad que aceptas, tus sentimientos y tu vida, y la cantidad de control que sientes que tienes sobre lo que te sucede. Al mismo tiempo, existe una relación directa entre la cantidad de control que sientes que tienes y las emociones positivas. Finalmente, existe una relación directa entre la responsabilidad, el control y las emociones positivas, por un lado, y lo feliz que te sientes, por otro lado.

Cuanto más aceptes la responsabilidad de cada parte de tu vida, más feliz, más positivo y más optimista te sentirás. Tu energía mental, física y emocional será dirigida hacia el logro, al convertir tu vida en algo maravilloso y al darte cuenta de tu potencial completo.

Quítate los sentimientos de culpa y falta de dignidad

Hay un área especial de negatividad personal que te impide convertirte en todo lo que eres capaz de llegar a ser, y son los *sentimientos de culpa*.

Los niños nacen sin sentimientos de culpa. Cada sentimiento culpable que experimentas como adulto te lo enseñaron tus padres, tus hermanos y otras personas mientras crecías. Y debido a que los sentimientos de culpa han sido aprendidos, también pueden ser desaprendidos.

Los padres normalmente usan la culpa en sus hijos porque sus padres y, a menudo, sus abuelos, la usaron. La práctica de la culpa se remonta a generaciones pasadas. Casi se vuelve automática en algunas personas, y en algunas familias y religiones.

EL IMPACTO DE LA "RELIGIÓN NEGATIVA"

Hay iglesias que practican lo que yo llamo *religión negativa*. En estas iglesias, y en otras escuelas de pensamiento, incluidos grandes aspectos del socialismo y el comunismo, la culpabilidad se usa sistemática y deliberadamente para socavar las emociones positivas, destruir personalidades y hacer que las personas sean fácilmente controlables por la persona que culpa a los demás.

Cuando la culpabilidad se practica deliberadamente, se usa con dos propósitos: *control* y *manipulación*. A lo largo de los siglos, las personas y los padres han descubierto que si puedes hacer que los demás se sientan culpables por algo, puedes controlar fácilmente sus emociones. Si puedes controlar sus emociones, puedes manipularlas para hacer lo que quieras. La culpa es una emoción insidiosa y maligna que se usa exclusivamente para que la gente haga lo que quiere el inductor de culpa al destruir su sentido de autoestima y disminuir su resistencia a ser controlado por otros.

EL DAÑO DE CONDICIONAR EL AMOR

En una sección anterior abordamos cómo los niños con frecuencia se vuelven susceptibles a los sentimientos de culpa constante como resultado de la crítica destructiva o la falta de amor que experimentan a temprana edad, a menudo a manos de sus padres, hermanos u otras figuras de autoridad de confianza. Cuando a los niños se les dice que no son buenos o que son estúpidos, que son una desilusión para sus padres o que no son muy inteligentes o competentes, naturalmente comienzan a desarrollar sentimientos de indignidad e inferioridad. Piensan palabras destructivas como: "No soy lo suficientemente bueno" y "Debe ser mi culpa".

Cuando los niños son criticados continuamente a medida que crecen, pronto comienzan a criticarse. Esta autocrítica se manifiesta en comparaciones negativas con otros. A su alrededor ven personas que lo están haciendo mejor que ellos, ya sea en algún deporte, en la escuela o en actividades sociales, y se sienten culpables por no ser tan capaces como sus pares en todos los aspectos de su vida. Debido a que tienen sentimientos de inferioridad, concluyen de forma natural que si alguien lo está haciendo mejor que ellos en un área específica, esa persona, por lo tanto, debe ser mejor que ellos.

DE VALER MENOS A NO VALER NADA

Después de compararse negativamente con los demás durante tanto tiempo, la persona llena de culpa concluye: "Si alguien más está 'mejor' que yo, esa persona debe valer más que yo. Si esa persona vale más, entonces yo debo valer menos". Y es sólo un pequeño paso desde el pensamiento de que vales menos que alguien hasta creer que no vales nada por completo.

Por esta razón, los sentimientos de culpabilidad casi inevitablemente conducen a sentimientos de inutilidad. Una persona que se siente inútil, disminuida y de poco valor se vuelve insegura, pesimista, enojada e insatisfecha.

Entre la población penitenciaria actual, por ejemplo, los peores infractores y los que cumplen las condenas más largas carecen de sentido de responsabilidad y de autoestima. Muchos de ellos pueden recordar claramente a sus padres o a sus madres diciéndoles cosas como: "No eres bueno; algún día terminarás en prisión".

Los sentimientos de culpa e inferioridad llevan muy rápidamente a que una persona se perciba como víctima de la vida, las circunstancias, el destino, la sociedad y muchos otros factores. Este sentimiento se expresa en las palabras: "No soy lo suficientemente bueno". El individuo se compara con frecuencia con los demás y dice: "No soy lo suficientemente inteligente. No tengo talento suficiente. No soy lo suficientemente competente. No soy bueno. ¡No puedo! ¡No puedo! ¡No puedo!"

Sentirse culpable también conlleva tener que ocuparse de las necesidades o los sentimientos de otra persona antes de ocuparse de los suyos. La gente busca permiso o aprobación antes de tomar una decisión.

LOS QUE CULPAN Y LOS CULPABLES

Durante más de dos mil años la culpa ha sido un principio fundamental en la cultura judeocristiana. Se ha utilizado a lo largo de los siglos para la manipulación y el control de personas y poblaciones a las que se ha hecho sentir culpables. La culpabilidad es útil para solicitar contribuciones caritativas o religiosas y obtener obediencia.

Gran parte de la sociedad está formada por *los que culpan* y los *culpables*. Los que hacen sentir culpables a los demás han dominado la capacidad de hacer que las personas, a menudo desconocidas, se sientan culpables tan sólo en unos segundos. Dado que los opuestos a menudo se atraen en el área del temperamento, muchos niños que hacen sentir culpables a los demás crecen y se casan con personas que se sienten culpables, repitiendo su dinámica familiar como adultos.

Ejercicio: si no puedes confrontar directamente a alguien que te hace sentir culpable, intenta sentarte frente a una silla vacía e imagina que la otra persona está sentada ahí. Dile cómo te sientes y que te niegas a seguir sintiéndote culpable. Dile que ahora tendrá que asumir la responsabilidad de su propia vida, sentimientos y experiencias. Tú te vas a cuidar a ti. Si esto ayuda, pon una foto de la persona en la otra silla. O incluso puedes pedir a un amigo o compañero que juegue roles contigo.

Evita la trampa del "lenguaje de víctima"

Una vez que una persona desarrolla sentimientos de culpa, indignidad e inferioridad, continúa reforzando esos sentimientos mediante el uso del lenguaje de víctima. La mayoría de lo que piensas y sientes acerca de ti está determinado por la forma en que hablas contigo, tu "diálogo interno" a lo largo del día. El diálogo interno de personas cargadas de culpa que se ven como víctimas está lleno de quejas, críticas y culpa de otros.

Las personas que se sienten víctimas continuamente inventan excusas. Cuando les pides algo a menudo dicen: "Lo intentaré" o "Haré lo mejor que pueda", lo cual es esencialmente una excusa para el fracaso, de antemano. No es remotamente empoderador o motivador para la persona que se siente víctima e induce serias dudas y desconfianza en la persona que hace la solicitud. Cada vez que alguien dice estas palabras cuando le pides que haga algo, sabes que probablemente va a fallar y decepcionarte. Y ellos también lo saben. Continuamente ofrecen justificaciones y explicaciones para no intentar, no lograr objetivos, no ser puntuales, no cumplir con sus responsabilidades y no hacer el trabajo para el que fueron contratados. Siempre tienen una razón o una excusa, porque siempre se ven como víctimas. Nada es nunca su culpa.

Esto también significa que no tienen la propiedad de su capacidad para tener éxito y no tienen control sobre el resultado de cualquier cosa que intenten. Al asumir que fallarán, incluso antes de que lo intenten, están creando una profecía autocumplida que hace casi imposible que logren lo que quieren o lo que necesitan hacer. Los triunfadores hacen lo contrario: creen que obtendrán resultados exitosos y luego los persiguen. No puedes tener éxito si ni siquiera lo intentas.

Criticar y quejarse generalmente son formas de lenguaje de víctima también. Cuando criticas y te quejas, te posicionas como una víctima de aquellos a quienes criticas y de los que te quejas en primer lugar. Como resultado, esto te hace sentir inferior e inseguro.

Elimina los sentimientos de culpa

Hay cuatro pasos que puedes seguir para desaprender los sentimientos de culpa que te pueden haber programado desde una edad temprana:

1. Desde este momento, nunca te critiques por nada. Practica la autocompasión. Nunca digas nada sobre ti que sinceramente no quieras que sea cierto. Recuerda, las palabras más poderosas en tu vocabulario son aquellas que te dices y crees. Asegúrate de que sean positivas y optimistas.

    Las mejores palabras que puedes decirte, una y otra vez, son: "¡Me gusto! ¡Puedo hacerlo! y ¡Soy responsable!". Es imposible repetir estas afirmaciones y sentirse negativo o culpable al mismo tiempo.

2. No critiques a alguien por cualquier cosa que haga o diga. Elimina la crítica destructiva de tu vocabulario por completo. Sé el tipo de persona de quien "nunca se escucha una palabra desalentadora".

    Haz que sea un hábito ser curioso, buscar continuamente cosas positivas en otras personas y comentar sobre eso. Cada vez que dices algo bueno a otra persona, por cualquier motivo, aumentas su autoestima, y tu propia autoestima aumenta en igual medida.

3. No uses la culpa en otras personas, sea la razón que sea. Elimina el uso de palabras y frases cargadas de culpa de tu vocabulario y de tus interacciones con tu familia y tus amigos. Nunca intentes hacer que una persona se sienta culpable por algo que haya hecho.

Los mejores regalos que le puedes dar a otra persona son *amor* y la *aceptación incondicional*. Esto significa que nunca la critiques por nada de lo que hace. Elogia, aprueba o, al menos, permanece en silencio.

4. No seas manipulado por la culpa que proviene de otra persona. De hoy en adelante rechaza cualquier intento de hacer que te sientas culpable por cualquier motivo.

Si tu madre, tu padre o tu pareja intentan hacerte sentir culpable, simplemente di: "No estás tratando de hacerme sentir culpable, ¿verdad?", y permanece en silencio.

Muy pocas personas admitirán abiertamente que están tratando de manipular a otra persona mediante el uso de la culpa. Dirán algo así como: "Por supuesto que no".

Si preguntas: "¿Estás tratando de hacerme sentir culpable?", y la otra persona responde: "Sí", simplemente di: "Bueno, no va a funcionar".

Es absolutamente increíble lo que sucede cuando le dices a la gente que está acostumbrada a manipularte usando la culpa que ya no va a funcionar. Pueden estar enojados y confundidos al principio. Pero a medida que se den cuenta de que hacerte sentir culpable no tiene ningún efecto en tu comportamiento, comenzarán a cambiar y a comunicarse contigo de una manera más positiva. Pruébalo y observa.

Tu gran objetivo en la vida debe ser la eliminación de las emociones negativas, de todo tipo. En ausencia de emociones negativas, sólo emociones positivas llenarán tu mente. Los dos constructores de emociones positivas más poderosos son las frases: "¡Me gusto!" y "¡Soy responsable!". Dilas repetidas veces.

Cuanto más te gustas, más responsabilidad aceptas. Mientras más responsabilidad aceptes, más te gustarás. Cada uno alimenta y refuerza al otro.

Descubre tu significado y tu propósito

Viktor Frankl, el fundador de la logoterapia y autor del libro *El hombre en busca de sentido*, dijo que la necesidad de significado y propósito es la más profunda de nuestras motivaciones.

El verdadero significado y propósito sólo aparecen cuando estás ocupado haciendo algo que hace una diferencia en la vida de otras personas.

Existe una relación directa entre tu nivel de autoestima (cuánto te gustas a ti mismo) y cuánto sientes que estás contribuyendo a tu mundo. Las personas que sienten que están haciendo una diferencia, que están invirtiendo más de lo que están sacando, se sienten felices, fuertes, y tienen mucho control sobre su vida.

El único antídoto real contra las emociones negativas, la preocupación, el miedo y la culpa consiste en estar tan ocupado haciendo algo que te gusta, y que beneficia a los demás de alguna manera, que ya no tienes tiempo para pensar en cosas que podrían haberte hecho infeliz en el pasado.

El presentador motivacional de radio y autor de *The Strangest Secret*, Earl Nightingale, dijo una vez: "La felicidad es la realización progresiva de un ideal valioso".

La verdadera felicidad, las emociones positivas y los sentimientos de optimismo y euforia surgen cuando sientes que te estás moviendo paso a paso en la dirección de hacer, ser y lograr algo importante en tu vida.

Cuando eliminas las emociones negativas, todo lo que queda son las emociones positivas. Afortunadamente puedes desaprender las emociones negativas con la práctica. Entonces sólo las emociones positivas crecerán y eventualmente guiarán y dirigirán todo lo que haces.

Capítulo 3

Dejar ir el pasado

*En el análisis final, la pregunta de por qué le pasan
cosas malas a la gente buena se transmuta en preguntas
muy diferentes; ya no se pregunta por qué sucedió algo,
se pregunta cómo responderemos, qué pretendemos
hacer ahora que sucedió.*
HAROLD S. KUSHNER

Tu objetivo en la vida es ser feliz, alegre y libre la mayor cantidad de tiempo posible. Tu objetivo debe ser deshacerte de todo el equipaje viejo y la negatividad que te detiene, como un peso de plomo, y te impide lograr todo lo que es posible para ti.

Quizá el principio más importante del éxito y la felicidad está contenido en la *ley del perdón*: mentalmente estás saludable en la medida en que puedes perdonar, olvidar y abandonar cualquier experiencia negativa.

Casi todas las grandes religiones enseñan la importancia del perdón como la clave del reino espiritual. Si no puedes perdonar, estás encerrado en tu lugar. No puedes hacer ningún progreso. Te ves retenido año tras año por tu negativa o tu falta de voluntad para soltar un daño anterior.

Tres leyes mentales

La *ley de la emoción* dice que todo lo que haces está motivado por una emoción de un tipo u otro, positiva o negativa. Puedes tener sólo un pensamiento en tu mente consciente a la vez, positivo o negativo, y siempre puedes *elegir libremente*.

La *ley del hábito* dice que cualquier cosa que hagas repetidamente con el tiempo se convertirá en un nuevo hábito. La regla es que los buenos hábitos son difíciles de formar pero fáciles de vivir. Los malos hábitos, especialmente las reacciones emocionales, son fáciles de formar pero difíciles de vivir. La mayoría de lo que haces, piensas, dices o sientes está determinado por el hábito, ya sea bueno o malo.

La *ley de sustitución* dice que puedes sustituir un pensamiento positivo por uno negativo. Puedes decidir deliberadamente pensar un pensamiento que te haga positivo o feliz como sustituto de cualquier pensamiento que te haga infeliz.

Dos mecanismos mentales

Pero aquí está el truco: tienes un *mecanismo de éxito* y un *mecanismo de falla* en tu cerebro. El mecanismo de éxito se activa cuando tienes pensamientos positivos, amorosos y compasivos sobre ti y otras personas y te enfocas en tus metas. Estos pensamientos requieren un esfuerzo consciente, continuo y deliberado de tu parte. No ocurren por accidente, sino por diseño.

Tu mecanismo de falla, desafortunadamente, funciona de manera automática cuando dejas de pensar en lo que quieres y en las cosas que te hacen feliz. Tu mecanismo de falla es una "configuración predeterminada" que se activa tan pronto como dejas de tener pensamientos positivos y constructivos.

Esto significa que si no eliges deliberadamente tener pensamientos que te hagan feliz, tu mente, de manera predeterminada, tendrá pensamientos negativos que te harán infeliz. Afortunadamente, por la ley del hábito, si te disciplinas para mantener tu mente en pensamientos positivos, con el tiempo se convierte en un hábito. Cuando el pensamiento positivo se convierte en un hábito, se vuelve tu "configuración automática" y comienzas a ser tu mejor yo en tu casa y en tu trabajo.

Infeliz hoy debido al ayer

La razón principal por la que las personas no están contentas hoy es porque aún están enojadas con alguien que les hizo algo o dejó de hacer algo por ellas en el pasado. Todavía no han perdonado a otra persona por un error que sienten que cometió o un daño que sienten que esa persona les infligió. Aquí hay algunas fuentes comunes de enojo o dolor que aún pueden afectarte hoy.

PADRES E HIJOS

Cuando eres niño, tus padres se encargan de todo. Te alimentan, te bañan, te visten, te llevan a la escuela, te recogen y cuidan de ti. A una edad temprana, la mayoría de los niños tiene la sensación de estar rodeados por los brazos de un protector que es omnisciente, omnipotente y sabio. Como resultado, los niños esperan vivir en un universo racional, lógico y ordenado donde sus padres que todo lo saben los cuidan, los protegen y toman las mejores decisiones para ellos.

Según Jean Piaget, el psicólogo suizo y especialista en desarrollo infantil que escribió *La construcción de lo real en el niño*, los niños evolucionan y maduran, ascendiendo a través de niveles de comprensión cada vez más complejos en la interacción humana. En uno de estos niveles, a temprana edad, los niños esperan que todo sea justo y equitativo. Si por alguna razón ven o experimentan lo que consideran una injusticia en su mundo, pueden enojarse o sentirse decepcionados, sentimientos que es posible que continúen en su vida adulta.

EXPECTATIVAS FRUSTRADAS

Muchas emociones negativas también surgen de *expectativas frustradas* sobre eventos pasados. Esto significa que una persona esperaba que las cosas sucedieran de cierta manera, y por cualquier razón, las cosas resultaron de manera diferente a lo anticipado, y no en el buen sentido (al menos según la persona que experimenta las expectativas frustradas). Como resultado, la persona se siente enojada y decepcionada. Arremete y exige que se cumplan sus expectativas. Si la situación no se corrige a su gusto, se enoja y se frustra aún más.

Volverse apegado al resultado de una situación es bastante normal. A menudo, con base en la información que recopilamos y las acciones que llevamos a cabo, esperamos que las cosas resulten de cierta manera. Al determinar nuestro resultado deseado de antemano y tomar medidas para lograrlo, tenemos una sensación de control. Podemos planificar lo que a menudo es un futuro incognoscible. Cuando frustramos nuestras expectativas al no obtener el resultado que esperábamos o que nos esforzamos por alcanzar, nos enojamos o deprimimos.

Unas palabras de Christina

Una vez trabajé con una pareja cuya principal fuente de disputas era su necesidad y su expectativa de que él llegara a casa del trabajo en el momento preciso en que dijo que lo haría. Ella veía el tiempo de una manera muy literal y precisa, y se alistaba para la hora exacta que él le había dicho. Por el contrario, su marido veía el tiempo como un rango. Decía que estaría en casa a las siete en punto, que para ella significaba exactamente las siete en punto, y para él significaba entre siete y ocho, dependiendo de cuándo podía salir del trabajo.

Él decía que estaría en casa a las siete y, según las experiencias pasadas, ella suponía que llegaría tarde. Entonces se enojaba y se frustraba, asumiendo que a su esposo no le importaba lo suficiente como para llegar a tiempo. Ella tomaba su tardanza como un insulto personal. Y cuando él llegaba a su casa se encontraba con una esposa infeliz, y surgía una acalorada discusión. Este ciclo continuó por meses.

Al trabajar con ellos, los ayudé a entender la concepción que cada uno tenía del tiempo. Le ayudé a ella a entender que necesitaba aceptar la perspectiva de su esposo del tiempo como un rango para que pudiera cambiar sus expectativas y dejara de decepcionarse, y le recalqué a él que su insistencia en definir una hora exacta para cuando regresaría a casa estaba lastimado los sentimientos de su esposa, y que necesitaba mejor darle un rango de tiempo.

Cuando lograron hacer estas cosas, cambió por completo la calidad de su relación. Ella aún podía planear la llegada de su esposo, pero aceptaba que su tiempo era más flexible de lo que había entendido previamente. A su vez, él se volvió más puntual y ansiaba volver a casa y verla, en lugar de arrastrar los pies, temiendo la batalla diaria.

Recuperarse

Una buena forma de recuperarse de cualquier situación que no resulte de la manera que esperabas es que busques lo bueno en el resultado inesperado. Siempre puedes encontrar algo positivo y beneficioso, y mientras buscas, te mantendrás tranquilo y positivo.

> *Ejercicio*: analiza una situación actual en tu vida que te está volviendo loco o triste. ¿Qué es bueno en esta situación? Napoleon Hill escribió: "Dentro de cada problema o dificultad reside la semilla de una ventaja o un beneficio igual o mayor". ¿Qué podría ser esa semilla para ti?

Mantente flexible

Sé flexible. Ábrete al hecho de que las cosas no siempre salen exactamente como esperabas. Mantén tu mente abierta.

A medida que los niños crecen y se desarrollan, aprenden que la vida no es en blanco y negro, sino en muchos tonos de gris. Algunas veces las cosas funcionan bien, y otras no. La vida es una serie de altibajos, en la que a veces los padres toman las decisiones correctas y otras no.

Sin embargo, muchos niños se fijan en un determinado nivel de desarrollo, esperando y luego exigiendo que la vida sea justa, consistente y predecible. Una vez fijados en este nivel, pueden convertirse en adultos que todavía demandan que la vida sea constante y predecible. Cuando no lo es, se enojan, se frustran y, a menudo, se deprimen.

Otra forma de aumentar tu flexibilidad es reducir tus expectativas de una situación que normalmente te causa frustración. De hecho, puedes configurar la situación para que sea un éxito y la disfrutes al hacer esto.

Por ejemplo, trabajo con muchas mujeres que están equilibrando la maternidad y una profesión. Estas mujeres a menudo intentan hacer demasiado a lo largo del día, y cuando hay cosas que quedan sin terminar o incompletas al final del día, se sienten insatisfechas. La solución a esta presión autoinducida es que no realices más trabajo del que puedes hacer en el tiempo que tienes disponible.

La imperfección humana

El hecho es que los seres humanos son imperfectos. Tú eres imperfecto. Yo soy imperfecto. Cada persona y cada organización integrada por individuos es imperfecta. La gente comete errores. Hacen cosas perversas, sin sentido, sin cerebro, necias y crueles. Ésta es la forma en que el mundo es y siempre ha sido. Esperar que todo esté bien todo el tiempo es cortejar la frustración y la duda eternas. Y, sin embargo, inconscientemente, muchas personas van por la vida esperando que todo salga bien.

Muchas personas, mientras crecen, tienen la idea de que que el mundo se desarrollará de una manera particular. Si no lo hace en lugar de ajustarse y adaptarse, se enojan, se frustran y determinan imponer su voluntad en su mundo o hacer que otras personas se comporten de una manera más acorde con lo que esperan. Esta actitud es un importante motivador de la actividad política.

El milagro del perdón

La decisión de practicar el perdón como una política continua en la vida es esencial para pasar de ser niño a ser adulto. Cuando perdonas, te liberas de las emociones negativas y de la culpa, y liberas a otras personas también. Te mueves de víctima a victorioso. Te liberas del bagaje del pasado y liberas tu potencial para realizar tu futuro.

"Libre soy, libre soy…"

El perdón es la clave. Tu capacidad de perdonar libremente a otras personas es la marca de tu desarrollo como una persona en pleno funcionamiento. Las almas más grandes de todas las épocas han sido aquellas que se han desarrollado hasta el punto en que no tienen animosidad hacia nadie, por ninguna razón. Tu objetivo debe ser el mismo. La práctica del perdón es tu clave para liberar todo tu potencial.

EL ERROR COMÚN

Algunas personas piensan que no es posible perdonar. Están convencidas de que perdonar a otra persona es lo mismo que aprobar su conducta o tolerar lo malo o cruel que ha hecho. Sienten que al perdonar en realidad están dejando libre a la otra persona, cuando está claro que ha hecho o dicho algo dañino o malo.

Pero aquí está la clave: el perdón no tiene nada que ver con la otra persona. El perdón sólo tiene que ver contigo. Es un acto perfectamente egoísta. Al perdonar a la otra persona no lo liberas; te liberas.

El comediante Buddy Hackett dijo una vez: "Nunca guardo rencor; mientras tú guardas rencor, ellos se están divirtiendo".

Se dice que la mayoría de nuestros problemas en la vida tiene pelo y habla. Casi todas tus emociones negativas, especialmente las de ira y culpa, están asociadas con otra persona u otras personas. Cuando pregunto a mis clientes: "¿Cuál es el mayor problema o preocupación en tu vida?", la respuesta casi siempre vuelve como otra persona u otras personas.

Botones verdes y botones rojos

Mi amigo Jim Newman condujo un seminario de tres días sobre crecimiento personal y efectividad durante muchos años. Parte del seminario consistía en imaginar una serie de botones rojos y botones verdes en el pecho. Cada vez que alguien presiona uno de tus botones verdes, sonríes y eres feliz. Cada vez que alguien presiona uno de tus botones rojos, te enojas y quieres atacar.

Los botones verdes son recuerdos felices y asociaciones con personas en tu vida a las que amas y disfrutas, como tu cónyuge u otras hijos. Los botones rojos se asocian con los recuerdos de las personas que te han lastimado, y las que te hacen enojar cuando se menciona su nombre, o incluso cuando algo te los recuerda.

REPROGRAMA CONSCIENTEMENTE TUS BOTONES

Lo que Jim enseñó fue que la clave para tomar el control total de tus emociones es volver a cablear tus botones. La forma de hacerlo es reprogramarte para recrear un pensamiento positivo en lugar de uno negativo cada vez que presiones uno de tus botones rojos. Cuando haces esto repetidamente, la negatividad asociada con esa otra persona se vuelve más y más débil, hasta que finalmente desaparece.

Aquí hay una declaración simple que puedes repetir cada vez que se desencadene el recuerdo infeliz de esa persona: "Dios lo bendiga; lo perdono y le deseo lo mejor". Y luego sólo déjalo ir y deja tu mente ocupada en otra cosa.

Debido a que tus emociones operan a una velocidad tan increíble, no es posible obtener el control de ellas en el momento en que son activadas por una memoria negativa. Debes programarlos con anticipación. Haces esto diciendo: "Cada vez que piense en esa persona voy a bendecir, perdonar y dejar ir".

SIMPLE PSICOLOGÍA

Puedes tener sólo un pensamiento a la vez. Cuando tienes deliberadamente un pensamiento positivo, todos los pensamientos negativos se detienen de manera instantánea. Si sigues teniendo pensamientos positivos, aunque puede ser difícil al principio, por la ley del hábito, pronto se vuelve un acto automático y fácil.

No es posible permanecer enojado con alguien si lo bendices, lo perdonas y le deseas bien. A medida que repites estas palabras, una y otra vez, finalmente encontrarás que cuando se presiona ese botón rojo, se ha desconectado de tus emociones. Mientras que antes el pensamiento o la imagen te hacían enojar, ahora tu respuesta es completamente neutral. No sientes nada en absoluto. Pronto te olvidas realmente de la persona o de la situación por completo. Es muy sorprendente, y a veces cambia la vida.

LA CLAVE PARA LA FELICIDAD

La práctica del perdón es la clave de tu felicidad. A partir de ahora, cuando pienses en alguien que todavía te hace infeliz, utiliza tu maravillosa inteligencia con el fin de pensar en razones para perdonar y dejar ir.

En lugar de recordar las cosas poco amables que esa persona hizo para lastimarte, bendices, perdonas y dejas ir. Pronto esta respuesta se convierte en un hábito, y toda tu personalidad cambia para mejorar.

Ejercicio: haz una lista de tres a cinco personas con las que todavía estás enojado. Piensa en cada persona y luego di: "Elijo abandonar esta situación y la perdono por todo".

El proceso del perdón

Cuando explicamos la importancia del perdón en nuestros seminarios, casi todos están de acuerdo en que es una buena política. Todos asienten, sonríen y aceptan que, en el futuro, van a perdonar libremente a los que los han lastimado y a dejarlos ir. Pero cuando llegamos a las personas específicas que necesitan perdonar, aparecen los bloqueos emocionales.

CUATRO PERSONAS PARA PERDONAR

Hay cuatro personas que debes aprender a perdonar si realmente quieres ser feliz: tus padres, tus relaciones pasadas, todos los demás y, la más importante, tú mismo.

1. Tus padres

Las primeras personas a las que debes perdonar son tus padres. La mayoría de los adultos todavía están enojados por algo que uno de sus padres hizo mientras crecían. Esperaban que sus padres se comportaran de cierta manera, y sus padres hicieron algo diferente. Los niños adultos todavía están enojados hoy, a menudo después de muchos años.

En un seminario en Orlando, Florida, almorcé con uno de mis participantes, un hombre llamado Bill. Me habló de su exesposa, de quien se había divorciado después de más de 20 años. Ella era negativa, enojona y quejumbrosa todo el tiempo, y finalmente ya había tenido suficiente. No estaba dispuesto a pasar el resto de su vida con ese tipo de persona.

Mientras me contaba su historia, mencionó haber almorzado con su exesposa la semana anterior. Como tenían dos hijos, debían reunirse y hablar de vez en cuando. En este almuerzo, él le dijo que estaba preocupado por su negatividad y por la forma en que parecía criticar y quejarse continuamente de otras personas y otras situaciones.

Ella reaccionó diciendo: "Bueno, tú también serías negativo si tu madre te hubiera tratado de la manera en que mi madre me trató cuando era adolescente".

Bill dijo: "Susan, no has vivido con tu madre por más de 25 años. ¿Cuánto tiempo la utilizarás como excusa para tus problemas como adulta?".

Hay muchas personas que están encerradas emocionalmente, todavía enojadas con uno o ambos padres, por heridas que sucedieron hace muchos años. A veces las personas siguen enojadas con sus padres mucho después de que éstos han muerto. Como resultado, permanecen como niños en su propia mente, se ven a sí mismas como víctimas, se sienten enojadas y frustradas, y con frecuencia sacan su enojo con sus propios cónyuges e hijos.

A las primeras personas que debes perdonar son tus padres. Ya sea que estén vivos o muertos, en la misma ciudad o viviendo lejos, debes perdonarlos por todo lo que hicieron o dijeron que te lastimó de alguna manera mientras crecías.

Debes decir: "Dios los bendiga. Los perdono y les deseo el bien".

Aquí hay un punto clave: tus padres hicieron lo mejor que pudieron contigo, con lo que eran y lo que tenían. Eran producto de su propia infancia y crianza. Tus padres fueron a su vez producto de su educación por parte de sus propios padres. En cada caso, no podrían haber hecho otra cosa que lo que hicieron. No podrían haber criado a sus hijos de manera diferente. Simplemente no sabían cómo.

Del mismo modo que no eres perfecto, tus padres tampoco fueron perfectos. Tenían miedos y dudas, igual que tú. Cometieron errores, hicieron cosas tontas o no actuaron conscientemente. Te trajeron al mundo con las mejores intenciones e hicieron lo mejor que pudieron con lo que sabían.

Siempre que recuerdes algo que tus padres hicieron que te lastime, acuérdate de que si supieran que habían dicho o hecho algo que te causaba dolor de alguna manera, probablemente se sentirían terriblemente mal al respecto. En la mayoría de los casos, los padres nunca harían algo intencionalmente para lastimar a sus hijos. Si tienes hijos, imagina cómo te sentirías si tu hijo te dijera que lo has lastimado de alguna manera. Nunca le causarías dolor a tu hijo intencionalmente. Tampoco tus padres a ti.

Ahora tienes que perdonarlos por completo por cada error que cometieron cuando te criaron. Tienes que soltarlos. Tienes que liberarlos. Porque sólo al liberar a tus padres mediante la práctica del perdón, tú puedes liberarte. Sólo liberándolos del anzuelo te liberas tú. Sólo perdonando a tus padres te conviertes en un adulto en pleno funcionamiento.

Uno de los participantes de mi seminario fue a la casa de su padre después del seminario en el que aprendió estos principios. Más tarde me dijo que, a la edad de 30 y cinco años, todavía estaba furioso por algo que su padre había hecho cuando tenía quince años. Este enojo melancólico estaba afectando su relación con su esposa y sus hijos. Tenía que quitárselo de encima, así que fue directamente a casa de su padre después del seminario.

Su corazón latía con fuerza, pero se dirigió directamente a él y le dijo: "Papá, ¿te acuerdas cuando tenía quince años e hiciste eso? Sólo quiero que sepas que te perdono completamente por eso, y por cada error que cometiste al criarme. Te amo".

Su padre era un trabajador duro y severo. Miró a su hijo a los ojos y dijo en tono irritado: "No tengo idea de lo que estás hablando. Nunca he hecho nada en mi vida por lo que debas perdonarme".

El miró a su padre con sorpresa. Estaba aturdido. De repente se dio cuenta de que había estado enojado y molesto durante 20 años por algo que su padre nunca supo que había hecho. Sacudió la cabeza, estrechó la mano de su padre y se despidió. Salió a la noche sintiendo como si una enorme carga se le hubiera quitado de los hombros.

Ejercicio: si tu relación con tus padres fue particularmente mala, es posible que desees sentarte y escribir una carta; escribe cada cosa que puedas recordar que te causó infelicidad o dolor cuando eras niño. Puedes comenzar la carta escribiendo: "Quiero perdonarte por las siguientes cosas que hiciste que me dolieron cuando era pequeño". Al final de la carta, escribe: "Te perdono por todo. Te amo y te deseo lo mejor".

Ejercicio: si estás en contacto con tus padres, también puede ser beneficioso sentarse con ellos y explorar la motivación detrás de algo que dijeron o hicieron. ¿Por qué hicieron o dijeron algo en particular? Esto puede ayudarte a alterar tu perspectiva de la situación. A menudo, si comprendes lo que sucedía en la mente de tus padres en ese momento, puedes cambiar por completo la forma en que te sientes respecto a una experiencia. La clave para hacer que esto funcione es que debes abordar la discusión de una manera discreta, curiosa y positiva. Ten cuidado de no hacer que tus padres sientan que los estás atacando. Esto sólo los pondrá a la defensiva.

Unas palabras de Christina

Tengo una amiga que siempre sintió que sus padres querían más a su hermana. La trataban muy diferente y eran más cercanos a ella. Desde niña, mi amiga estaba al tanto de esta diferencia.

A medida que crecía, sintió que tenía que esforzarse más para obtener aceptación y reconocimiento de sus padres y no le daban tantos privilegios como a su hermana. Al paso de los años, se sintió más y más lastimada, siempre preguntándose qué estaba mal con ella y por qué sus padres no las querían a ambas por igual.

> Una noche, finalmente decidió confrontarlos y preguntarles por qué seguían haciendo ciertas cosas por su hermana que no hacían por ella. ¿Qué había hecho para que la quisieran menos?
>
> Respondieron con asombro y sorpresa ante la idea de que habían tratado a sus hijas de manera diferente. Ambos estaban absolutamente convencidos de que trataban a cada una de la misma manera. No entendieron la perspectiva de mi amiga. Regresó a casa esa noche dándose cuenta de que sus padres nunca cambiarían o incluso estarían de acuerdo en que trataron a sus dos hijas de manera diferente. No obstante, se sintió liberada y aliviada de haber expresado sus sentimientos. Ellos no aceptaron sus sentimientos, pero la escucharon, y eso fue todo lo que necesitó.

Una vez que hayas perdonado a tus padres, habrás dado un gran paso adelante. Habrás hecho algo que pocas personas hacen en toda su vida. El mismo acto de perdonar a tus padres comenzará el proceso de liberación personal. Y comenzarás a sentirse más feliz y en paz, incluso antes de hacerlo.

2. Tus relaciones pasadas

El segundo grupo de personas al que debes perdonar son todas aquellas en tus relaciones pasadas, tus romances y tus ex parejas. Las relaciones personales e íntimas nos hacen muy vulnerables a la forma en que nos tratan las personas. Decimos y hacemos cosas en medio del amor y la pasión que nos abren y nos exponen a la otra persona. Damos nuestra mente, nuestro corazón y nuestro cuerpo en algunos de los momentos más intensos de nuestra vida.

Cuando una relación romántica no funciona y se desmorona, a menudo nos sentimos abrumados por emociones negativas. Sentimos enojo y culpa. Experimentamos envidia y resentimiento. Justificamos y racionalizamos. Culpamos, criticamos y condenamos. Si no controlamos nuestras emociones, podemos experimentar una leve o incluso una gran forma de locura. Sentimos como si toda nuestra vida emocional estuviera sumida en un agujero negro.

Pero una vez más debes usar tu maravillosa mente para desactivar estas emociones negativas, para resolver la situación de alguna manera y continuar con el resto de tu vida.

El hecho es que nadie puede controlar tus emociones a menos que todavía haya algo que quieras de él o de ella.

En psicología esto se llama acción incompleta. A menudo estamos enojados y molestos por una relación pasada porque hay uno o más problemas que aún no se han resuelto.

Lo peor de todo es, probablemente, cuando una persona todavía está enamorada y quiere que la otra persona la ame. Sin embargo, si la otra persona se ha movido emocionalmente y no tiene más interés romántico en la pareja anterior, la persona que quedó atrás emocionalmente puede experimentar sentimientos muy complicados de enojo, culpa, indignidad, falta de atractivo e inferioridad.

La forma de practicar el perdón en una relación pasada es aceptar la responsabilidad de lo que sucedió o no sucedió. En lugar de culpar a la otra persona por lo que hizo o dejó de hacer, debes aceptar que eres igualmente responsable de involucrarte en la relación y de mantenerte en ella. En muchos casos, probablemente sabías que era una relación equivocada desde el principio, y probablemente sabías que debías haberla terminado hace mucho tiempo.

En un estudio de varios miles de parejas casadas que recibieron asesoramiento premarital, en 38% de los casos uno u otro admitió que no deseaba casarse con la otra persona. Sentían que era un error. Pero de todos modos continuaron con el matrimonio porque sentían que su familia y sus amigos esperaban que se casaran.

La moraleja de la historia es que nunca mantengas una mala relación por miedo a lo que otros, especialmente tus amigos y tus familiares, puedan pensar, sentir o decir si te separas. Nunca hagas ni te abstengas de hacer algo porque te preocupa lo que otras personas puedan pensar. Eventualmente aprenderás que *nadie estuvo pensando en ti en absoluto*. De hecho, si supieras lo poco que otras personas piensan en ti, probablemente te sentirías insultado. Toda tu vida romántica puede irse por el desagüe y los demás sólo están pensando en lo que van a comer.

Está bien ser un poco egoísta y poner tu propia felicidad primero. Haz lo que creas que es lo correcto para ti. Nunca te dejes influenciar por las opiniones positivas o negativas de los demás. Complácete al menos a ti en todas las cosas, si no puedes complacer a todos los demás también.

Muchas personas pasarán por un mal matrimonio y un divorcio, y todavía estarán enojados diez y 20 años después. Todavía culparán a la otra persona porque el matrimonio no funcionó. No pueden dejar de lado el hecho de que el matrimonio, en el que habían invertido tanto, fallara. Todavía no pueden perdonar a la otra persona por las cosas que hizo.

Pero al igual que con la crianza de los hijos, cuando las personas se casan hacen lo mejor que pueden. Nadie entra en un matrimonio con la intención de que falle. Siempre entran en él con las mejores esperanzas, sueños y aspiraciones. Si más adelante, en la plenitud de los tiempos, la gente cambia y el matrimonio no funciona, no es culpa de ninguna de las partes.

En la película *El indomable Will Hunting*, el punto crítico de la relación entre el personaje de Matt Damon, Will, y el personaje de Robin Williams, Sean, el psicólogo de Will, se produce después de que Will le explica las experiencias traumáticas de su juventud. Sean le dice: "No es tu culpa".

Esta parte de la película es muy conmovedora y reveladora. Will dice: "Claro, claro, lo sé". Una vez más, Sean dice: "No es tu culpa. No es tu culpa. No es tu culpa". Finalmente, Will comprende lo que dice Sean. No importa lo que sucedió en su infancia, por traumático que haya sido, no fue su culpa. En ese momento él es libre por fin.

En un matrimonio infeliz tampoco es tu culpa; ni es culpa de la otra persona. Las dos personas, que alguna vez fueron lo suficientemente compatibles como para casarse, ya no son compatibles. La incompatibilidad no es una elección. Es como el clima. Simplemente sucede. Las dos personas se separan y tienen diferentes pensamientos, sentimientos e ideas sobre ellos mismos, su vida, su trabajo, sus hijos y su lugar en la sociedad. No es culpa de nadie.

Si te encuentras en una situación en la que todavía estás enojado por una relación o un matrimonio que no tuvo éxito, primero debes decidir por tu propia cuenta dejarlo ir. Mientras te aferres a la esperanza de que de alguna manera regrese, nunca podrás ser libre. Nunca podrás seguir con tu vida. Nunca podrás ser feliz.

Ejercicio. ESCRIBE LA CARTA: una vez que lo dejes ir, siéntate y escribe "la carta". Ésta es una de las herramientas más poderosas que puedes usar para liberarte y lograr felicidad duradera y tranquilidad.

Esto es lo que debes hacer: tomar una hoja de papel y comenzar a escribir la carta, dirigiéndote a la otra persona. Tu primer párrafo debe decir: "Es desafortunado que nuestro matrimonio no haya tenido éxito. Sin embargo, acepto la responsabilidad total de mi papel en el matrimonio, y todo lo que hice o no hice que condujo a su fracaso".

Continúa con: "Te perdono por todo lo que hiciste o dijiste que me lastimó". (En este punto, muchas personas hacen una lista de cada una de las cosas que pueden pensar que la otra persona alguna vez hizo que todavía las enoja cuando piensan en eso.)

La última línea es simplemente: "Te deseo lo mejor".

Toma esta carta, ponla en un sobre, escribe la dirección y pega el timbre en el sobre y arrójala en el buzón.

En el instante en que tu mano suelta esta carta y sabes que es irrecuperable, sentirás como si te hubieran quitado una enorme carga. Te sentirás feliz y relajado. Sonreirás y te sentirás en paz.

En este punto las personas a menudo dicen: "¿Y qué pasa si la otra persona malinterpreta la carta y quiere volver a estar juntos?".

> La respuesta es simple: no te preocupes. No estás escribiendo esta carta para la otra persona. Estás escribiéndola para ti. En lo que respecta a la otra persona, no te importa si está feliz o infeliz, enojada o molesta, satisfecha o disgustada. Simplemente no te importa. Se terminó. Eres libre por fin.

En muchos casos, cuando una persona tiene el coraje de aceptar la responsabilidad y perdonar a la otra persona por todo lo que sucedió, la otra persona cambia por completo, perdiendo toda su animosidad. Todas las emociones negativas desaparecen de la memoria de su relación. Muchas parejas que han roto me han dicho que después de que uno escribió esta carta los dos se hicieron buenos amigos y pudieron ser padres excelentes para sus hijos.

Si el acto de enviar la carta por correo es demasiado intimidante para ti, puedes escribirla y en su lugar romperla y tirarla. Pero el envío de la carta es el evento catártico que hace que el perdón sea irreversible.

3. Todos los demás

El tercer grupo de personas a las que debes perdonar es el de todos los demás que te han lastimado de alguna manera. Tienes que perdonar a tus hermanos, que pudieron haber sido poco amables contigo cuando eras pequeño. Tienes que perdonar a tus amigos de todas las edades que pudieron haberte hecho cosas poco amables o crueles. Tienes que perdonar a tus empleadores anteriores que pudieron haberte tratado mal o despedirte injustamente.

Debes perdonar a tus socios comerciales y a tus asociados que pudieron haberte engañado o costado dinero. Tienes que perdonar a todas las personas en las que puedas pensar en cualquier aspecto de tu vida por las que todavía sientes enojo y aún culpas por algo que hicieron.

Recuerda, no estás perdonando a todas estas personas por su bien. Los estás perdonando por tu bien. Ni siquiera tienes que decirle a la otra persona que la has perdonado. Simplemente puedes perdonarla en tu corazón. Cada vez que piensas en la otra persona, cancelas rápidamente el pensamiento negativo diciendo: "Dios lo bendiga, lo perdono y le deseo lo mejor".

Cuando llegue un pensamiento negativo sobre esa otra persona, cancélalo de inmediato bendiciéndola y deseándole bien. Niégate a hablar sobre la otra persona o sobre la situación con los demás. Esto simplemente arroja más leña al fuego y retrasa el proceso de curación. En cambio, cancela el pensamiento y bórralo de tu mente. Eventualmente, pensarás en esa persona cada vez menos, y luego la olvidarás por completo. No pensarás en ella en absoluto.

Sólo hay dos momentos de tu vida: el pasado y el futuro. El presente es un momento fugaz entre los dos. Una de las decisiones más importantes que tomarás es nunca permitirte enojarte o sentirte infeliz por algo que no puedes cambiar, y no puedes cambiar el pasado. Se terminó. Se fue. Es irreversible. Pero el futuro puede ser cambiado. Está bajo tu control y está determinado por lo que haces en el presente.

Imagina que te encuentras con un hombre en un acto social y le preguntas: "¿Cómo estás?". Él responde con una mirada agria y dice algo así como: "Estoy bien, pero realmente todavía estoy enojado por lo que sucedió".

Un poco sorprendido, preguntas: "¿Qué pasó?".

Continúa diciendo: "Bueno, hace unos cinco años mi familia y yo empacamos una canasta de pícnic el sábado por la noche para hacer un agradable pícnic el domingo. Pero el domingo por la mañana estaba nublado y llovió durante todo el día, así que tuvimos que cancelar el pícnic. Y todavía estoy enojado".

Para este momento, probablemente estarás pensando: "Esta persona necesita un revisión del cuello para arriba". Él no está jugando con un mazo completo. Él no está pensando racionalmente. ¿Cómo podría una persona seguir enojada por el hecho de que llovió hace cinco años? ¡Esto es ridículo!

Aquí está mi punto: muchas personas todavía son miserables e infelices debido a algo que sucedió hace años. No pueden dejarlo ir. Pudo haber sido una infancia difícil. Pudo haber sido un mal matrimonio. Pudo haber sido un trabajo pésimo o una inversión pobre. Pero sea lo que sea, debido a su incapacidad para perdonar y dejar ir, están atrapados, como los dinosaurios en los pozos de alquitrán, año tras año.

Si has llevado una vida normal, has cometido todo tipo de errores y has tenido todo tipo de problemas con todo tipo de personas a lo largo de los años, desde la primera infancia, esto es normal y natural, y es parte de la experiencia humana. La única pregunta es: "¿Te sobrepones a ello practicando el perdón con frecuencia o dejas que te agobie y te detenga?".

Muchas personas estarán de acuerdo en este momento en que deben perdonar a todas las personas que los lastimaron en el pasado. Pero al mismo tiempo, casi como un jugador de cartas que sostiene una carta cerca de su pecho, crean un área única de inclemencia. Deciden que perdonarán a todos, pero hay una persona que los lastimó tanto que no les permite la libertad.

Pero al aferrarse a esta única emoción negativa, la negación a perdonar a esta persona o lo que sucedió en esa situación es suficiente para sabotear todas tus esperanzas y tus sueños de salud, felicidad y realización personal. Una emoción negativa a la que te aferras puede socavar todas tus esperanzas de felicidad y alegría en el futuro.

4. Finalmente, libérate

La cuarta persona a la que debes perdonar es a ti mismo. Ahora que has tenido el coraje y el carácter para perdonar a todos los que te han hecho daño en tu vida, debes perdonarte y también liberarte del anzuelo.

Muchas personas se quedan atascadas toda su vida por un error que cometieron en el pasado. Tal vez hiciste algo malvado, irracional o cruel cuando eras pequeño. Quizá lastimaste a alguien en una relación temprana. Quizá hiciste algo que causó una gran cantidad de dolor, dinero e infelicidad a alguien en el trabajo o en los negocios.

Hoy sientes remordimiento y arrepentimiento. Te sientes infeliz y agobiado. Ojalá no hubieras hecho o dicho lo que hiciste o dijiste. Te sientes culpable y negativo. Estos sentimientos pueden retenerte, como un peso extra, al levantarse para cumplir tu potencial completo. Pueden ser como ese freno en la llanta delantera que está bloqueado en su lugar, haciendo que tu vida vaya en círculos.

Aquí hay un punto clave: la persona que eres hoy y la persona que hizo o dijo esas cosas en el pasado no son la misma. Hoy eres diferente, más sabio y más experimentado, alguien que nunca haría lo que la persona que eras en el pasado hizo en ese momento. No puedes seguir castigando a quien eres hoy lamentando continuamente lo que hiciste cuando eras una persona diferente, hace mucho tiempo.

El arrepentimiento y el remordimiento no son signos de responsabilidad o conciencia. En realidad son debilidades que te detienen.

Di: "Me perdono por lo que hice y me libero. Eso fue antes y esto es ahora".

Siempre que pienses en algo que hiciste en el pasado por lo cual todavía no eres feliz, perdónate y libérate.

Reconoce la diferencia

Una de las distinciones más importantes que puedes hacer es entre un hecho y un problema. ¿Cuál es la diferencia? Un hecho es algo que no se puede cambiar. Tu edad es un hecho. El tamaño del mundo es un hecho. Hay ciertas cosas que simplemente existen. No pueden ser alteradas. Son hechos.

Una de las claves de la felicidad es que nunca te enojes o te alteres por un hecho. Así como se supone que no debes sacar tu ira con *las cosas*, como patear un mueble, no debes enojarte o alterarte por *los hechos*. Simplemente los aceptas y sigues con tu vida.

¿Qué es, entonces, un problema? Un problema es algo sobre lo que puedes hacer algo. Puede ser resuelto. Por ejemplo, un objetivo no alcanzado simplemente es un problema sin resolver. Puedes enfocar tu inteligencia y tu habilidad en resolver problemas y alcanzar metas. Los problemas son simplemente cosas con las que lidias a medida que avanzas en la vida.

LOS TIEMPOS DE TU VIDA

Como dijimos antes, hay dos periodos de tiempo en tu vida: el pasado y el futuro. El presente es un momento que pasa entre los dos. ¿En qué categoría de tiempo ponemos hechos, y en qué categoría ponemos problemas?

La verdad es que los hechos existen en el pasado. Algo que sucedió en el pasado es un hecho. Es inmutable. Esto es importante de entender porque muchas personas son miserables e infelices en el presente porque algo no salió como lo esperaban en el pasado. Pero debido a que sucedió, o no sucedió, en el pasado, es un hecho inmutable. No hay nada que puedas hacer al respecto. Nunca te enojes por un hecho.

Un problema existe en el futuro. Esto es algo sobre lo que puedes hacer algo. Éste es un periodo de tiempo en el que puedes canalizar tu inteligencia y tu capacidad para lograr un resultado diferente.

Al anticipar el futuro y planificar para lograr resultados, recuerda que el futuro aún no ha sucedido y que hasta que ocurra nada es cierto. Sin embargo, algunas personas pueden anticiparse y apegarse a un resultado futuro, sentirse ansiosas por ese resultado, y luego, si no funciona según lo planeado, temen tomar medidas en el futuro por miedo a que no tengan éxito. En lugar de pensar en las recompensas del éxito, se sienten abrumadas por la posibilidad de fracaso. Ésta es la razón principal del fracaso y el bajo rendimiento en la vida.

EL PROCESO TERAPÉUTICO

En psicoterapia, gran parte del trabajo que hacemos gira en torno a la comprensión del pasado y el reconocimiento de los aspectos normales y naturales del enojo, la depresión, la irritación, el egoísmo, la arrogancia, la inseguridad y la falta de consideración que pueden desencadenarse por los acontecimientos pasados.

Es cierto que lo que sucedió en el pasado es un hecho y no se puede cambiar, pero una gran parte de la razón por la cual las personas se aferran al pasado es porque no han sufrido la pérdida de lo que podría haber sido o debería haber sido. Los sentimientos de arrepentimiento y pérdida se desencadenan cuando las personas piensan sobre lo que pudo haber sido y lo que podrían haber hecho de manera diferente. A menudo, al profundizar en lo que la persona esperaba que ocurriera, y por qué estaba decepcionada, el psicoterapeuta y el paciente llegarán a una suposición clave que está reteniendo a la persona. Una vez que esta idea falsa ha sido identificada y entendida, la perspectiva del individuo se moverá y sus sentimientos cambiarán por completo.

SÉ TU PROPIO PSICÓLOGO

Piensa en tu vida pasada e identifica la peor cosa posible que sucedió que aún podría estar causando que experimentes sentimientos de culpa, ira o indignidad. Se necesita una enorme fuerza del ego para enfrentar esta experiencia negativa, pero casi todos han tenido al menos una gran experiencia negativa en su vida.

> *Ejercicio*: cuando pienses e identifiques esa experiencia que continúa atormentándote, pregúntate: "¿Cuáles fueron las circunstancias? ¿Cómo ocurrió esa situación en primer lugar?".
> Si pudieras regresar y hablar con la persona que eras en el pasado, ¿qué consejo le darías a tu yo más joven sobre la situación? ¿Qué lección aprendiste a través de esa experiencia que podrías no haber aprendido de otra manera? ¿Puedes encontrar algo útil o valioso que obtuviste de esa experiencia?
> Ahora, para estar libre de este evento pasado, debes compartirlo al menos con otra persona. Con esta voluntad y esta capacidad para compartir este evento, a menudo lo que todavía piensas como una experiencia embarazosa o vergonzosa, con otra persona de confianza te liberas de él para siempre.

Cuatro niveles de desarrollo de la personalidad

Hay cuatro niveles de desarrollo mental y emocional que cada persona debe atravesar para ser verdaderamente feliz y libre: *autorrevelación*, *autoconciencia*, *autoaceptación* y *autoestima*.

I. AUTORREVELACIÓN

Aquí es donde admites abierta y honestamente los errores que has cometido, los temores que tienes, las debilidades con las que lidias y las otras partes ocultas de tu vida que estás acostumbrado a guardar para ti.

Cuando practiques la autorrevelación al menos con otra persona en quien confíes, descubrirás que no es tan mala como habías pensado. La autorrevelación puede ser una experiencia liberadora.

2. AUTOCONCIENCIA

Después de la autorrevelación puedes pasar al siguiente nivel de desarrollo de la personalidad: la *autoconciencia*. Cuando practicas la autorrevelación y encuentras sorpresivamente que la otra persona no reacciona de manera negativa o crítica, te vuelves más consciente de ti mismo.

Sócrates enseñó que aprendemos algo sólo dialogando con nosotros mismos o con otros. Mientras más puedas expresar lo que estás pensando y sintiendo, mejor te entenderás a ti mismo y a la situación. Te vuelves más consciente.

3. AUTOACEPTACIÓN

A medida que creces en la autoconciencia te das cuenta de que no eres una mala persona y que tienes muchas buenas cualidades. A continuación, puedes pasar al siguiente nivel de desarrollo personal: la *autoaceptación*. Empiezas a aceptarte como una buena persona. Tus emociones negativas de culpa e inferioridad comienzan a desaparecer. Te sientes más ligero y feliz. La autoaceptación, verse a uno mismo "con verrugas y todo", como dijo Oliver Cromwell, es el trampolín hacia una personalidad sana y feliz.

4. AUTOESTIMA REVISADA

Finalmente, pasas al nivel más alto de desarrollo de la personalidad: *la autoestima*. La autoestima se basa en la autoaceptación. Cuanto más te aceptas y te ves como una persona realmente buena, más te gustarás y te respetarás. Cuanto más valioso e importante sientas que eres, más te gustarán los demás y más te querrán.

A medida que asciendes en las etapas de autorrevelación, autoconciencia, autoaceptación y autoestima, tu vida y tu futuro se abren como un amanecer de verano. Todas las preocupaciones y sentimientos negativos desaparecen.

> *Ejercicio*: una vez que hayas realizado este proceso, puedes alentar a tus amigos y a tus familiares a pasar por el mismo proceso.
>
> Expresar una *consideración positiva incondicional* hacia alguien que te importa —escucharlo cuando habla, procurar no juzgar sin importar lo que diga— puede ser increíblemente útil. También puede ser una experiencia de aprendizaje para ti.

La etapa final

La etapa final de liberación requiere una gran fortaleza del ego y confianza. Esto es cuando reúnes tu valor y te disculpas con alguien a quien has herido de alguna manera.

Debido al enorme poder de justificación, identificación, racionalización e hipersensibilidad, la idea de pedir disculpas a otra persona puede ser extremadamente estresante. Pero si deseas sinceramente liberarte de algo que hiciste en el pasado, por lo que todavía te sientes mal, no tienes más remedio que disculparte.

En Alcohólicos Anónimos, el programa de 12 pasos identifica un paso crucial hacia el crecimiento personal y el proceso de curación: *reparar las fechorías* cometidas mientras se estaba aferrado a la adicción. Asumir la responsabilidad de un error anterior no es sólo una forma de reconectarse con alguien a quien has perjudicado, sino que también es un modo de demostrar que no eres la misma persona, y la persona hoy reconoce el efecto de tu comportamiento anterior. Decir que lo sientes te permite soltarlo y seguir adelante.

Afortunadamente, éste es un proceso simple. Puedes llamar a la otra persona ahora mismo y simplemente decir: "Hola, soy [tu nombre] y sólo quería decirte que me disculpo por lo que sucedió, y espero que me perdones".

No importa cómo responda la otra persona. Puede explotar y enojarse. Puede colgar. Pero, sorprendentemente, la otra persona a menudo dirá: "Estoy tan contenta de que hayas llamado. Acepto tu disculpa. ¿Por qué no nos vemos para comer?".

He visto innumerables situaciones en que las personas que se han distanciado durante años se han vuelto a juntar y se han hecho buenos amigos porque una persona tuvo la fuerza de carácter para decir: "Lo siento".

Puede ser incluso mejor para ti ir a ver a la persona, de ser posible. Por lo menos, puedes escribir una carta de disculpa y enviarla por correo.

Aquí hay un punto clave con respecto a la disculpa: resiste la tentación de contar tu versión de la historia, de defenderte o de justificar tu comportamiento anterior. Cuando intentas explicar o justificar lo que hiciste para lastimar a la otra persona, se puede ver como "que le restas valor", dejando la situación sin resolver. Simplemente acepta la responsabilidad, di "lo siento" y déjalo así.

Finalmente, si sientes que es necesario y correcto, ofrece compensar o hacer algún tipo de restitución. Recuerda, en la vida cometerás muchos errores, pero nunca podrás ser demasiado amable o demasiado justo.

Capítulo 4

Cambia tu pensamiento, cambia tu vida

Siempre he creído, y sigo creyendo, que sea cual
sea la buena o la mala fortuna que se nos presente,
podemos darle sentido y transformarla en algo valioso.
HERMANN HESSE

No es lo que te sucede en la vida lo que determina cómo te sientes; es cómo respondes a lo que sucede.

Dos personas pueden tener la misma experiencia pero una la superará, la dejará ir, se olvidará de ella y continuará con su día o su vida. La otra persona estará devastada, enojada, resentida y muchas veces infeliz por un periodo prolongado de tiempo. El mismo evento, dos reacciones diferentes.

Un curso de milagros dice: "Le das sentido a todo lo que ves", y Shakespeare dijo: "Nada es, pero pensarlo lo hacer ser".

La forma más rápida de transformarse de negativo a positivo, y liberarse de las experiencias infelices del pasado, es decidir ver tu pasado de una manera diferente. Cuando practicas la ley de la sustitución e intercambias un pensamiento positivo por un pensamiento negativo, tus emociones cambian casi instantáneamente.

El orador motivacional Wayne Dyer dijo una vez: "Nunca es demasiado tarde para tener una infancia feliz".

Tu estilo de interpretación

En otras palabras, volviendo a tu infancia y revisando tus recuerdos de las experiencias infelices que tenías, puedes convertirlos de malos a buenos, de deprimidos a elevados, y comenzar a ver tu infancia de una manera totalmente nueva y positiva. Al interpretar los recuerdos de una nueva manera te sentirás diferente acerca de ellos.

En la religión hindú, los seguidores creen en reencarnaciones múltiples. Creen que cada persona nace y muere una y otra vez durante cientos y miles de años. Al final de cada vida, cuando estás reencarnado en otra vida, pasas a un nivel superior (hacia la salvación y la unidad con el Alma Suprema) o hacia un nivel inferior (lejos de la salvación), dependiendo de cómo te comportaste en tu vida anterior. ¿Fuiste positivo o negativo, bueno o malo, útil o hiriente?

El fin último de este proceso de reencarnación y desarrollo progresivo, según los hindúes, es el logro de la perfección espiritual en esta tierra. Luego te elevas al *nirvana*, o al cielo, y te liberas del interminable ciclo de nacimiento y muerte.

Ya sea que creas o no en la reencarnación, aquí hay un ejercicio que puedes hacer y que te puede permitir regresar y tener una infancia feliz.

Ejercicio: imagina que en algún lugar del otro lado del universo, mucho antes de que nacieras, pudiste buscar sobre la Tierra y seleccionar a tus próximos padres. Al hacer esta selección, elegiste deliberadamente a los padres que te llevarían a una situación en la que podrías aprender las lecciones que más necesitas en esta próxima vida. Elegiste a estos padres para que pudieras experimentar las pruebas y tribulaciones de una vida que crecía en esta familia, porque era la única forma en que podías aprender, evolucionar y convertirte en una persona mejor.

Cuando juegues con esta idea y veas a tus padres, hermanos y experiencias infantiles, comenzarás a identificar las lecciones que aprendiste de cada problema o dificultad que tenías mientras crecías. Pero ahora, al aceptar que tú elegiste a tu familia, los ves como pasos valiosos en tu camino de crecimiento y desarrollo.

Piensa en el impacto que tus padres han tenido en ti. ¿Puedes identificar cómo han influido en tus mayores fortalezas y debilidades?

Aprende de las experiencias

Muchas personas pasan décadas quejándose de cosas que sus padres hicieron cuando crecieron. Eso fue cierto en mi caso. Recuerdo una vez cuando tenía 30 y pocos años y estaba saliendo con una mujer joven. Durante la cena, comencé a recordar y a quejarme de mi padre por los errores que cometió conmigo durante mi infancia.

La joven, bastante inteligente, me detuvo y me preguntó: "Brian, ¿estás contento de estar vivo?".

Yo dije: "¡Por supuesto! Realmente disfruto mi vida".

Luego dijo: "Bueno, tu padre te trajo aquí, así que deja de quejarte".

Recordé estar momentáneamente aturdido, y luego me di cuenta de que ella tenía razón. A partir de ese día nunca más me quejé de mi padre ni de mi infancia.

Puedes hacer lo mismo. Sin importar lo que tus padres hicieron, te trajeron aquí. Te dieron el mejor regalo de todos: tu vida. Siempre puedes estar agradecido con ellos por eso.

El gran poder que te ama

Aquí hay otro ejercicio para ti: imagina que en algún lugar del universo hay un gran poder que te ama y quiere lo mejor para ti. Este gran poder quiere que seas feliz, saludable, y que estés realizado. Quiere que seas exitoso y próspero.

Este gran poder también sabe que puedes alcanzar mayores niveles de felicidad, alegría y placer sólo aprendiendo ciertas lecciones esenciales a lo largo del camino. Y sabe que tienes una naturaleza perversa; no aprenderás a menos que duela.

No puedes aprender de leer u observar las experiencias de otros. Puedes aprender sólo cuando sientes dolor: físico, emocional o financiero. Requiere dolor llamar tu atención para que puedas aprender las lecciones que debes aprender.

Por lo tanto, para poder enseñarte, entrenarte y guiarte hacia tu bien superior, este gran poder te envía lecciones, cada una acompañada de dolor, para que escuches y prestes atención.

BUSCA EL REGALO

Norman Vincent Peale dijo una vez: "Cuando Dios quiere enviarte un regalo, lo deja en un problema. Cuanto más grande es el regalo que Dios quiere enviarte, más grande es el problema en que lo envuelve".

Cuando observas cada problema o dificultad que tienes en tu vida como si contuviera algún tipo de regalo, comienzas a ver las cosas de manera diferente.

El desafío para la mayoría de las personas es que experimenten el dolor, pero están tan ocupadas quejándose y culpando a los demás que no ven el regalo.

TU PROBLEMA MÁS GRANDE

Piensa en todos los problemas que tienes en tu vida ahora mismo.

Ahora imagina que se te ha enviado este gran problema que contiene un regalo en forma de una lección que debes aprender para que puedas ser más feliz y tener más éxito en el futuro. ¿Cuál es esa lección?

Una de las formas más poderosas para cambiar tu forma de pensar y tu vida es buscar la valiosa lección en cada problema o dificultad que encuentres. Lo más sorprendente es que si buscas una lección en un revés o en una dificultad, siempre encontrarás al menos una lección, y a veces muchas.

Ejercicio: enumera tres reveses o fallas temporales que has experimentado en tu vida. Ahora, ¿puedes reinterpretarlos y verlos como experiencias de aprendizaje? ¿Cuáles son las valiosas lecciones que el gran poder estaba tratando de enviarte?

Cuando pienses en tu mayor problema hoy, que generalmente involucra a otra persona, pregúntate: "¿Cuál es la lección que debo aprender de este problema o dificultad?"

VE MÁS PROFUNDO

Tu primera respuesta generalmente será simple y superficial: "Tal vez debería hacer más de esto o menos de eso".

Pero ahora viene la parte más importante. Pregúntate: "¿Qué otra cosa es la lección que debo aprender en esta situación?".

Ve más profundo. Esta vez, la lección será más importante y significativa, si no es que dolorosa. Quizá necesites comenzar a hacer algo diferente, o detener algo completamente.

Luego preguntas nuevamente: "¿Qué otra cosa es la lección que debo aprender?".

Vas aún más profundo. A medida que continúes haciendo esta pregunta las lecciones serán cada vez más relevantes y útiles, y a menudo más dolorosas. Finalmente, si es un problema importante en tu vida con el que has estado luchando durante mucho tiempo, alcanzarás la verdadera lección que debes aprender. Por lo general, necesitas cambiar, salirte de algo o eliminarlo de tu vida actual.

ENFRENTA LA VERDAD

Cuando reconoces la lección contenida en tu situación infeliz y te das cuenta de que necesitas hacer un cambio significativo en tu vida, generalmente encontrarás problemas de ego. Evitas enfrentarte a la situación. Practicas la negación, deseando y esperando que de alguna manera mejore por sí sola cuando, en tu corazón, sabes que nunca lo hará.

Cuando finalmente desarrolles el coraje para enfrentar la verdad sobre tu situación y tomes las acciones necesarias dictadas por esa verdad, sucederá algo asombroso. Todo tu estrés desaparecerá. Te sentirás feliz y en paz. Te sentirás tranquilo y relajado.

Has oído decir que la negación no es un río en Egipto. La negación, o la negativa a enfrentar la verdad o la realidad de tu situación, es una fuente importante de estrés y ansiedad, de emociones negativas e incluso de enfermedades físicas y mentales.

Lo opuesto a la negación es la aceptación. Cuando aceptas que la situación es la que es, reconoces que no va a cambiar y actúas en consecuencia, todo tu estrés se desvanece.

Optimismo aprendido

El doctor Martin Seligman, de la Universidad de Pensilvania, uno de los fundadores de la psicología positiva, realizó 22 años de investigación sobre el tema del optimismo. Una de sus conclusiones más importantes fue que las personas son optimistas o pesimistas dependiendo de su *estilo explicativo*.

El estilo explicativo define "cómo interpretas los eventos". Recuerda que la percepción es la realidad, y cada persona tiene su propia percepción de una situación. Es por eso que dicen que siempre hay tres lados en una historia: la primera persona, la segunda persona y lo que realmente sucedió.

En la programación neurolingüística, están los conceptos de *enmarcar* y *replantear*. Ésta es otra forma de describir el estilo explicativo. No es la situación la que te hace sentir feliz o infeliz. Es tu interpretación de la situación como positiva o negativa. Al volver a enmarcar una experiencia negativa pasada en una lección positiva, descubrirás que tu memoria emocional cambiará totalmente y te liberará de esos sentimientos negativos previos.

ELIGE TUS PALABRAS CON CUIDADO

El lenguaje es muy importante en esta área. Las palabras que eliges usar para interpretar un evento pueden desencadenar pensamientos, sentimientos, emociones y reacciones, positivas o negativas. Las palabras pueden hacerte feliz o triste, alentarte o desanimarte, emocionarte o deprimirte.

Una de las maneras más rápidas de cambiar tu mente de negativa a positiva cuando algo sale mal es cambiar tu vocabulario. Por ejemplo, en lugar de la palabra *problema*, usa la palabra *situación*.

Un problema es negativo. Inmediatamente evoca imágenes de pérdida, retraso e inconveniencia. Pero la palabra situación es neutral. Cuando dices: "Aquí tenemos una situación interesante", no existe una carga emocional negativa asociada a la palabra. Como resultado, permaneces calmado, lúcido y más capaz de enfrentar cualquier situación.

VE LOS OBSTÁCULOS COMO RETOS POSITIVOS

Una palabra aún mejor es *desafío*. En lugar de reaccionar a una dificultad como si se tratara de un problema, o un ataque personal contra ti o tu empresa, di: "Tenemos un desafío interesante que enfrentar".

Un desafío es algo a lo que haces frente. Saca lo mejor de ti. Es positivo y edificante. Esperamos ansiosamente los desafíos que nos hacen expandirnos y ser mejores al superarlos.

La mejor palabra para describir un problema es *oportunidad*. En lugar de pensar en problemas o dificultades, de ahora en adelante habla sobre los reveses inesperados en tu vida como desafíos u oportunidades. Una oportunidad es algo que todos queremos y esperamos ansiosamente. Es increíble cuántas de tus mejores oportunidades aparecen primero como problemas y dificultades.

Experiencias cercanas a la muerte

Muchas personas han experimentado lo que se llama una *experiencia cercana a la muerte*. Por lo general, en medio de una cirugía, mueren. Su corazón se detiene y su actividad de ondas cerebrales se interrumpe. Afortunadamente, los milagros de la medicina moderna los resucita y los devuelve a la vida en la mesa de operaciones.

Muchas de estas personas han informado una experiencia similar después de haber muerto. En primer lugar, se vieron a sí mismas muertas en la mesa de operaciones con médicos y enfermeras luchando por recuperar su cuerpo.

La segunda cosa que informan estas personas es una tremenda sensación de paz y alivio. Nada en su vida anterior parece importante nunca más. Están completamente relajadas y experimentan una sensación de dicha.

En tercer lugar, informan haber visto una luz brillante distante que comienza a moverse más y más rápido. A medida que se mueven hacia esta luz, la sensación de paz, felicidad y euforia aumenta. Se sienten completamente relajadas y en armonía con el universo a medida que la luz se vuelve más y más brillante.

LAS LECCIONES DE VIDA

La cuarta ocurrencia común reportada por personas que han pasado por una experiencia cercana a la muerte es que en el "otro lado" se les hacen dos preguntas: "¿Qué has aprendido en esta vida?" y "¿Cómo has aumentado tu capacidad para amar en esta vida?".

Luego, de vuelta en la mesa de operaciones, el personal quirúrgico resucita el cuerpo y lo devuelve a la vida. De repente, la persona siente como si fuera succionada hacia atrás, lejos de la luz, a una velocidad creciente. En cierto momento todo se vuelve negro. La siguiente cosa que la gente recuerda es despertarse en la habitación de un hospital con miembros de su familia y el personal médico que la rodea.

Entonces ahora lo sabemos. Al término de tu vida hay un examen final. E incluso sabemos las preguntas de ese examen. A lo largo de nuestra vida, uno de los principales objetivos es desarrollar respuestas excelentes a esas preguntas. Éste es el gran negocio de la vida: tener estas buenas respuestas. ¿Qué has aprendido y cómo has aumentado tu capacidad de amar?

Reformula tus experiencias

Cuando reinterpretas o replanteas problemas o dificultades, desafíos u oportunidades, adquieres el hábito de buscar lo bueno en cada situación. Cuando buscas algo bueno en lo que inicialmente parece ser un revés o una dificultad, siempre encontrarás algo positivo. Siempre encontrarás un beneficio o una ventaja. Y lo maravilloso es que mientras buscas algo bueno tu mente permanece positiva y optimista. Tus emociones permanecen calmadas y bajo control. Es imposible experimentar estrés y ansiedad mientras miras lo bueno y buscas la valiosa lección.

Unas palabras de Christina

Una vez trabajé con un hombre que sufría de falta de compromiso en el trabajo y de incapacidad de disfrutar realmente de nada en su vida. Tenía una visión pesimista del mundo y sólo veía lo negativo en cada situación que experimentaba. Cada vez que algo salía mal, él lo personalizaba y culpaba al problema por alguna debilidad o característica suya.

Supuso que el problema era una prueba directa de que no era lo suficientemente inteligente, analítico, etc. Avanzó creyendo que todo lo que salía mal era porque él era una mala persona.

Tuvimos que trabajar para reinterpretar y reformular sus experiencias de una manera positiva. Tuvo que aprender que a veces las cosas simplemente suceden, y que cada experiencia proporciona una oportunidad para el crecimiento. A medida que aprendió a cambiar su perspectiva de una visión del mundo pesimista a una optimista en el trabajo, su capacidad para tolerar los reveses aumentó. Se recuperó de la adversidad más rápido. En general, se convirtió en una persona más feliz al aprender a interpretar lo que le sucedió de manera positiva. Y tú puedes hacer lo mismo.

Tu trabajo es mantenerte enfocado en la ventaja o el beneficio potencial de tus dificultades actuales y mantener tu mente fuera de los aspectos de la situación que podrían enojarte o entristecerte.

Problemas y crisis

El nuevo líder espiritual del pensamiento, Emmet Fox, escribió: "Las almas grandes aprenden grandes lecciones de pequeños problemas".

Tu vida será una serie interminable de problemas, dificultades y desafíos de todo tipo. Vienen incesantemente, como las olas del océano. Nunca se detienen; sólo aumentan o disminuyen en intensidad.

La única interrupción a esta serie interminable de problemas será la crisis ocasional. Si llevas una vida activa, probablemente tendrás una crisis cada dos o tres meses. Puede ser una crisis física, financiera, familiar o personal. Pero tendrás una crisis de algún tipo.

Por tu propia naturaleza, una crisis viene espontáneamente. Es una reversión o un retroceso no anticipado para el que no puedes prepararte o hacer algo al respecto. La única pregunta real, entonces, es si respondes eficaz o ineficazmente.

Si cada persona tiene una crisis de algún tipo cada dos o tres meses, significa que en este momento estás en una crisis, o acabas de salir de una crisis, o estás a punto de tener una crisis.

Tu trabajo es respirar profundamente cuando ocurra la crisis, mantenerte tranquilo, buscar lo bueno, perseguir la valiosa lección y luego tomar medidas para reducir o minimizar la crisis. Hablaremos de esto con mayor detalle en el próximo capítulo.

Piensa en los que quieres

La *ley de la concentración* dice que todo lo que desees crecerá en tu vida.

Cuanto más pienses en lo que quieres y hacia dónde te diriges, más positivo y optimista seguirás siendo. Como dijo Helen Keller: "Cuando te vuelves hacia la luz del sol, las sombras caen detrás de ti".

Al cambiar tu forma de pensar le das un giro positivo a esas situaciones en tu vida que pueden hacerte sentir infeliz por algún motivo. Busca el lado positivo de la nube. Como dijo Ralph Waldo Emerson: "Cuando la noche es más oscura, salen las estrellas".

Muchas personas sufren de preocupación y de ansiedad continuamente. Por lo general, esto se aprende de un padre que también se preocupaba. Afortunadamente, la mayoría de las cosas que te preocupan nunca ocurre. En cambio, son las cosas sobre las que nunca pensaste en preocuparte las que causan la mayor parte de tu infelicidad.

El Informe de desastre

Una de las mejores maneras de dejar de preocuparte es completar un *informe de desastre* sobre cada problema o dificultad que te está causando preocupación o ansiedad en este momento.

Hay cuatro pasos para completar el informe de desastre:

Paso 1: *define* claramente la situación que te preocupa. ¿Qué es exactamente?

Muchas personas se preocupan por algo que es vago o poco claro. Su pensamiento es confuso. Al igual que los niños en la noche, experimentan sentimientos de ansiedad por razones que no son claras. O no tienen suficiente información, lo que puede hacer que reaccionen de forma exagerada. (A veces están molestos por algo sobre lo que no hay nada que puedan hacer de cualquier modo.)

El solo hecho de definir claramente tu situación de preocupación, por escrito si es posible, a menudo indicará una solución inmediata que elimine por completo la situación de preocupación. Los médicos dicen que un diagnóstico preciso es la mitad de la cura.

Paso 2: determina el *peor resultado posible* de esta situación de preocupación. ¿Qué es lo peor que podría pasar?

La mayoría de las emociones negativas y las situaciones de preocupación es causada por la negación. La persona se siente bajo una enorme cantidad de estrés porque niega la realidad de la situación. No quiere que sea verdad. Espera que al ignorarla desaparecerá. Pero esto nunca funciona.

Cuando identifiques lo peor que podría suceder como resultado de esta situación de preocupación, a menudo encontrarás que no es tan mala como pensabas. Es algo con lo que puedes vivir. Puede ser el final de una relación, pero no te matará. Puede ser la pérdida de una cierta cantidad de dinero, pero no te llevará a la bancarrota. Incluso si te declaras en bancarrota, la situación de preocupación es un hecho, no un problema, y debe enfrentarse. Volverás a ganar el dinero en otro momento, haciendo algo diferente de una manera diferente y en un lugar diferente.

Si se trata de un problema de salud, decide confrontarlo directamente. Niégate a jugar contigo mismo. Haz lo que puedas para resolver el problema de salud y luego confía en los expertos y en un poder superior. Hay una frase maravillosa de la Biblia, Efesios 6:13, ESV, que dice: "Habiéndolo hecho todo, estén firmes".

Paso 3: decide *aceptar lo peor*, en caso de que ocurra. Como la mayoría del estrés es causado por un rechazo a identificar el peor resultado posible y luego un rechazo adicional a aceptarlo, una vez que decides aceptar lo peor tu estrés se evapora. De repente te sientes tranquilo y en paz. Cuando reemplazas la negación con la aceptación, tomas completo control mental y emocional de la situación.

Paso 4: comienza de inmediato para *mejorar* lo peor. Haz todo lo posible para minimizar el daño, controlar los costos y reducir tus pérdidas. El punto es que estés tan ocupado tomando medidas para resolver tus dificultades que no te quede tiempo para preocuparte.

Pensamiento basado en cero

Finalmente, al cambiar tu forma de pensar, practica el *pensamiento basado en cero* en cada área de tu vida. Pregúntate: "¿Hay algo que esté haciendo en mi vida que, sabiendo lo que sé ahora, no volvería a hacerlo si tuviera que hacerlo de nuevo?".

Es asombroso cuánto estrés e infelicidad son causados por estar en una situación que, sabiendo lo que ahora sabes, no repetirías si tuvieras que hacerlo de nuevo.

Se necesita un coraje y un carácter tremendos para admitir que cometiste un error, que cambiaste de opinión y que no volverías a esta situación si tuvieras que hacerlo de nuevo.

Las personas se aferran a la idea de que una vez que se han comprometido con algo deben hacerlo a toda costa. Sin embargo, es una fortaleza, no una debilidad, admitir que no tomaste la decisión correcta, que no eres perfecto. Y siempre tienes el derecho de cambiar de opinión con nueva información.

MUÉVETE RÁPIDO

Una vez que hayas determinado que no volverías a entrar en esa situación, tu siguiente pregunta es: "¿Cómo salgo, y qué tan rápido?".

Parece que tan pronto como decides tomar medidas para resolver una dificultad tu estrés desaparece. Es la incertidumbre causada por la inacción la que genera la mayor parte del estrés sobre la situación. En el momento en que decides tomar medidas y resolver la situación, sientes una tremenda sensación de alivio y tu curso queda claro.

Tienes una mente extraordinaria. Como escribe el poeta John Milton en *El paraíso perdido*: "La mente es su propio lugar, y en sí misma puede hacer un cielo del infierno y un infierno del cielo".

Decide hoy utilizar tu maravillosa mente para pensar de manera positiva y constructiva sobre quién eres, qué quieres y hacia dónde te diriges.

A partir de este momento rehúsate a interpretar las cosas de una manera negativa, que te haga infeliz, te enoje o te frustre. En cambio, busca lo bueno y la valiosa lección. Acércate a cada problema o dificultad como un desafío u oportunidad. Sobre todo, trabaja tanto para resolver el problema y para lograr las cosas que son importantes para ti que no tengas tiempo para preocuparte o angustiarte.

Ejercicio: completa el Informe de desastre

1. ¿Cuál es tu mayor problema o preocupación en este momento?
2. ¿Cuál es el peor resultado posible de esta situación?
3. Si ocurriera el peor de los casos, ¿cómo te afectaría? ¿Podrías vivir con eso? (¡Por supuesto que podrías hacerlo!)

4. Toma medidas inmediatamente para asegurarte de que no ocurra lo peor, o si ya sucedió, ocúpate tanto resolviendo el problema y minimizando el daño que no tengas tiempo para preocuparte. ¡Hazlo ahora!

Capítulo 5

Conviértete en un maestro del cambio

*Los eventos seguirán su curso, no está bien que nos
enojemos con ellos; es más feliz quien sabiamente
los convierte en algo mejor.*
EPICTETO

Lo único constante en la vida es el cambio. El cambio es la ley del crecimiento y el crecimiento es la ley de la vida. Es sorprendente cuánta gente quiere que las cosas mejoren pero que permanezcan igual. Esto simplemente no es posible.

Érase una vez que mientras Albert Einstein estaba enseñando en la Universidad de Princeton aplicó un examen a una clase avanzada de estudiantes de física y estaba en camino de regreso a su oficina. Su profesor adjunto estaba cargando los exámenes.

El profesor adjunto había trabajado para el doctor Einstein durante dos años. Un poco vacilante, preguntó: "Doctor Einstein, ¿no es éste el mismo examen que aplicó a la misma clase el año pasado?".

Einstein respondió: "Sí, es el mismo examen".

El profesor adjunto estaba un poco confundido. Preguntó: "Doctor Einstein, ¿cómo pudo aplicar el mismo examen a la misma clase dos años seguidos?".

Einstein respondió simplemente: "Las respuestas han cambiado".

En el mundo cambiante de la física en ese momento, con nuevos descubrimientos cada pocas semanas, las mismas preguntas podían generar respuestas diferentes un año después.

TUS RESPUESTAS ESTÁN CAMBIANDO

Lo mismo pasa en tu vida. Tus respuestas están cambiando a un ritmo más rápido que nunca. Si alguien te preguntara: "¿Cuál fue tu mayor problema hace un año? ¿Cuál fue tu objetivo más importante hace un año? ¿Cuál fue tu mayor desafío hace un año?", te sería difícil recordarlo. Las respuestas han cambiado completamente.

> *Ejercicio*: identifica las áreas de tu vida donde tus respuestas están cambiando más rápidamente. ¿Qué vas a hacer dentro de un año a partir de la dirección actual de cambio?

Los economistas de la Universidad de Harvard hicieron tres predicciones hace algún tiempo. Primero, dijeron que el próximo año habría más *cambios* en su industria que nunca antes. En segundo lugar, que habría más *competencia* en su industria que nunca antes. Y tercero, que habría más *oportunidades* en su industria que nunca antes, pero serían diferentes de las oportunidades de hoy. Da la casualidad que estas predicciones se hicieron en 1952 y han sido ciertas casi todos los años desde entonces.

Pensando en un cambio

¿Cuál es el trabajo mejor pagado de todos? La respuesta es pensar. Pensar es el trabajo mejor pagado y más importante que haces, o que cualquier otra persona hace. Y esto es por una razón específica.

El motivo son las consecuencias. En 30 años de estudiar la gestión del tiempo y la eficacia personal he llegado a la conclusión de que las posibles consecuencias de hacer o no hacer algo son la consideración más importante en términos de prioridades.

Una acción es importante si hay grandes *consecuencias potenciales,* positivas o negativas, de hacerlo o no hacerlo. Una acción no es importante si tiene pocas o ninguna consecuencia potencial. Tu capacidad para anticipar correctamente las probables consecuencias de una acción es un sello distintivo de una inteligencia superior.

CONSIDERAR LAS CONSECUENCIAS

De las cosas que haces, la calidad de tu pensamiento tiene las mayores consecuencias de todo en tu vida. La calidad de tu pensamiento determina la calidad de tus decisiones. La calidad de tus decisiones determina la calidad de tus acciones. La calidad de tus acciones determina la calidad de tus resultados. Y en la vida y el trabajo los resultados son todo.

Casi todos los grandes éxitos en tu vida han sido precedidos de pensar detenidamente lo que vas a hacer y luego hacerlo bien y de manera oportuna. Casi todos los errores en tu vida fueron resultado de no haber pensado lo suficiente. En ambos casos, las consecuencias de tu pensamiento tienen un gran impacto en la calidad de tu vida.

Tu habilidad para pensar bien determina cuán positivo, feliz y constructivo eres. Y está determinado por las "herramientas de pensamiento" que aplicas a un mundo de cambios rápidos.

Una de las mayores fuentes de estrés, frustración e infelicidad es la falta de voluntad o la incapacidad de lidiar con el impacto inevitable del cambio en cada área de tu vida. Afortunadamente, hay una serie de herramientas que puedes usar para convertirte en un maestro del cambio en lugar de una víctima de las circunstancias.

Esperar algo

Anteriormente dijimos que la mayoría de las emociones negativas surge de *expectativas frustradas*. Esperas que algo suceda de cierta manera, y cuando no sucede, te enojas y a menudo atacas a los demás como la causa de tu desilusión. Pero cuando usas tus habilidades de pensamiento superior, comienzas a esperar el cambio como una parte normal, natural e inevitable de la vida. Como un sauce, te inclinarás con los vientos del cambio, en lugar de chasquear como un pino cuando las tormentas de la vida se ciernen.

Hay tres factores que impulsan el cambio en el mundo de los negocios y de las carreras en la actualidad: la explosión de la información, la expansión de la tecnología y la competencia.

EXPLOSIÓN DE LA INFORMACIÓN

La cantidad de información en cualquier campo se duplica cada dos o tres años, y en algunos campos técnicos mucho más rápido. Cada año se publican más de cinco millones de libros y artículos en revistas, periódicos y boletines informativos de todo tipo. Y un pequeño dato en medio de esta avalancha de información puede tener un gran impacto en tu vida, tu trabajo y tu familia.

En la versión animada de Disney de *Alicia en el país de las maravillas*, el Conejo Blanco siempre está corriendo ansiosamente en su lugar, diciendo: "Llego tarde, llego tarde, para una cita muy importante".

Más tarde, en la secuela *Alicia a través del espejo*, la Reina le dice a Alicia: "Aquí, como ves, se tiene que correr a toda velocidad simplemente para seguir en el mismo sitio. Y si quieres llegar a otra parte, ¡debes correr al menos el doble de rápido!".

En la actualidad, para estar a la altura de tu campo y mantener tus ingresos actuales, debes leer continuamente y aprender nuevas ideas y formas de hacer mejor tu trabajo. ¡Es difícil no sentirse como el Conejo Blanco, corriendo frenéticamente por el país de la Reina para mantenerse a flote, y mucho menos para seguir adelante!

EXPANSIÓN Y CAMBIO TECNOLÓGICO

El segundo factor que impulsa el cambio hoy es la tecnología. Cientos de miles, tal vez millones, de las mejores mentes que han vivido están trabajando día y noche para desarrollar tecnología que hace las cosas más rápido, mejor, más barato y más conveniente que cualquier cosa que exista actualmente. La regla es que si está en el mercado, ya está obsoleta.

Para mantenerte firme, debes dominar continuamente las nuevas tecnologías, aprender a usarlas y aplicarlas para mejorar tu vida y hacer tu trabajo más rápido. Mira lo que sucedió en nuestra vida con la presentación del iPhone y todas las aplicaciones y funciones que tenemos a nuestra disposición. Lo que se inventará en el futuro está más allá de nuestra imaginación.

COMPETENCIA

El tercer factor que impulsa el cambio es el crecimiento de la competencia. Millones de personas en todo el mundo están motivadas y decididas a mejorar la calidad de su vida elaborando y vendiendo productos y servicios de mayor calidad y a un precio inferior a los clientes de todas partes, aumentando así el éxito de sus negocios. Para sobrevivir y prosperar en nuestra moderna sociedad de mercado, debes ser tan decidido y agresivo como tus competidores en el servicio a tus clientes. Tienes que correr el doble de rápido sólo para permanecer en el mismo lugar.

Los clientes de hoy son más exigentes, desleales y egocéntricos que nunca. Tienen más opciones y más conocimiento sobre lo que quieren y lo que tienen que pagar para obtenerlo. Son inconstantes, están dispuestos a contratar a un proveedor de largo plazo de inmediato para obtener una mejor combinación de precio y calidad en otro lugar. Mira lo que Jeff Bezos de Amazon ha logrado ofreciendo millones de productos a precios reducidos con entrega nocturna. A partir de 2017 era el tercer hombre más rico del mundo debido a su capacidad de atender a los clientes más rápido.

Puedes estar seguro de una sola cosa. Lo que sea que estés haciendo hoy, debes hacerlo muchísimo mejor en un año a partir de ahora sólo para mantener tu trabajo. Debes actualizar continuamente tus habilidades y tu capacidad para obtener más y mejores resultados. Como un corredor en una carrera, si reduces la velocidad, los otros corredores te rebasarán y es posible que te resulte imposible alcanzarlos.

Cambio en tu vida personal

También debes esperar cambios en tu matrimonio y en tus relaciones con otras personas. A medida que las personas crecen y maduran, desarrollan nuevos gustos, personalidades más definidas y diferentes objetivos y aspiraciones, y con frecuencia se convierten en personas completamente diferentes.

Has oído hablar de la comezón de siete años. Parece que hay un ciclo de siete años en casi cada parte de la vida humana. En el transcurso de siete años, las personas, los niños, los cónyuges, las empresas, los trabajos y sus propios deseos evolucionan y cambian, a veces por completo.

Cada célula de tu cuerpo es completamente nueva cada siete años. Cada célula de tu piel es completamente nueva cada 30 días. A medida que crezcas y madures, tu nivel de condición física, salud general, imagen corporal y energía continuará cambiando, a veces de maneras que quizá no te gusten.

Los pasajes de la vida

En el libro *Transiciones*, Gail Sheehy escribe que los adultos pasan por transiciones importantes aproximadamente cada diez años. Entre las edades de 18 y 22 años, las personas pasan de adolescentes dependientes a adultos en gran medida autosuficientes. Entre las edades de 28 y 32 años, van de un momento de experimentación a uno en que se establecen por medio de matrimonios y carreras. De 38 a 42, las personas se adaptan a sus carreras y a sus familias, estabilizan su vida en gran medida y comienzan a darse cuenta de que muchas de las cosas que originalmente planearon hacer no sucederán. Entre las edades de 48 a 52, las personas se instalan más profundamente en sus carreras, a menudo se divorcian y se van por caminos separados, y comienzan a pensar en la segunda mitad de la vida y la jubilación. Finalmente, de 58 a 62 años, la mayoría de la gente está bastante resignada con su vida y con lo que ha logrado. Está más preocupada por la comodidad, la seguridad y la jubilación a medida que se acerca a los 70 y 80 años.

Los cambios son inevitables

El punto es que en cada etapa de tu vida vas a atravesar cambios y transiciones importantes. No te sorprendas ni te decepciones. Por el contrario, espera que estos cambios sean inevitables. Esto reduce significativamente tus niveles de estrés y aumenta tu capacidad para navegar estos cambios de una manera positiva y constructiva. Como escribió Peter Drucker, visionario de los negocios y la gestión: "La mejor forma de predecir el futuro es crearlo".

Hay una habilidad esencial, llamada *preparación mental*, que puedes aprender y que te permitirá dominar el cambio a lo largo de tu vida. En la preparación mental, te relajas y te visualizas experimentando cambios en algún momento en el futuro. En tu mente, te ves respondiendo a estos cambios de una manera calmada, positiva y constructiva. En lugar de reaccionar exageradamente cuando las cosas no salen como esperabas, aceptas los cambios inevitables como una parte normal y natural de la vida adulta.

Al reconocer y prepararte para el cambio, sabiendo que es inevitable, puedes saborear cada preciado momento consciente de que evolucionará a otra cosa. Al hacer una pausa y disfrutar un momento especial o un momento feliz en tu vida, reconoces que cambiará y te preparas para dejarlo ir. Cuando hagas esto, te moverás fácilmente a través de los cambios de la vida en lugar de quedarte estancado y resistir lo inevitable.

Anticípate

Una de las herramientas de pensamiento más poderosas que puedes desarrollar se llama *pensamiento extrapolar*. Esto requiere que mires por el camino de la vida y pienses en todas las cosas que podrían suceder.

Practica la *anticipación de crisis*. Haz una lista de las peores cosas que podrían suceder en tu vida personal y laboral. Piensa en posibles muertes, lesiones, malas inversiones financieras, bancarrota y eventos inesperados que podrían descarrilar tus esperanzas, tus sueños y tus planes más preciados.

Al pensar en el futuro e identificar las peores cosas que podrían suceder, imagina lo que podrías hacer para enfrentar esos eventos en caso de que ocurran. ¿Qué pasos podrías dar hoy para protegerte de esos eventos negativos? De todas las cosas que podrías hacer, ¿qué deberías hacer primero?

Algunas grandes empresas practican lo que se llama *planificación de escenarios*. Miran todos los aspectos de su negocio e imaginan las diferentes cosas que podrían suceder a nivel nacional e internacional que interrumpirían su negocio de alguna manera. Luego desarrollan escenarios o completan planes de acción para enfrentar esos eventos negativos en caso de que ocurran.

Al practicar el pensamiento extrapolar, la anticipación de crisis y la planificación de escenarios, puedes reducir drásticamente tus niveles de estrés y aumentar tu efectividad anticipando las muchas cosas que podrían suceder y luego creando planes para enfrentarlas.

Desarrolla una perspectiva a largo plazo

El último científico político, el doctor Edward Banfield, de la Universidad de Harvard, determinó, a través de 50 años de investigación, que las personas más exitosas en nuestra sociedad tenían lo que él llamaba una *perspectiva a largo plazo*. Crearon la costumbre de mirar hacia el futuro, diez o 20 años adelante, e imaginar lo que podría suceder en ese momento. Luego determinaron qué pasos podrían tomar en el presente para asegurarse de que sus objetivos a largo plazo se hicieran realidad, y que las cosas negativas que podrían suceder no ocurrieran.

Una de las principales causas del estrés, la ansiedad y la preocupación tiene que ver con el dinero. Muchas personas son indisciplinadas con respecto a su dinero y, como resultado, lo gastan todo cada mes, y un poco más. Millones de personas terminan declarando bancarrota personal todos los años debido a un fracaso para pensar financieramente en el futuro.

Planifica tus asuntos financieros

Una de las acciones que puedes tomar para mejorar la calidad de tu vida es planificar a detalle todos los aspectos de tus asuntos financieros. Desarrolla un plan para la acumulación financiera y síguelo. Gasta menos de lo que ganas, y ahorra o invierte el saldo. Acumula reservas de efectivo con el fin de que estés preparado para cualquier reversión repentina.

Como propietario de un negocio o como ejecutivo, adquiere el hábito de pensar a largo plazo. Mira hacia el futuro de tu negocio y anticipa los cambios y las tendencias que podrían afectar tus ventas y tu rentabilidad. En lugar de dejarte sorprender por el cambio, anticípalo y actúa en consecuencia. Jack Welch, ex CEO de General Electric, dijo una vez: "El principio de realidad es el principio más importante del liderazgo. La realidad significa que ves el mundo tal como es en realidad, no como quisieras que fuera".

¿Qué habilidades y talentos necesitarás tú —y tu empresa— para liderar tu industria en los próximos años? ¿Qué productos, servicios y capacidades necesitarás tú y tu empresa para continuar creciendo en ventas y rentabilidad? ¿A qué clientes servirás en el futuro y qué van a exigir de ti que sea diferente a lo de hoy?

Especialmente, ¿quién será tu competencia en el futuro y cuál es tu plan para tener éxito contra ellos?

Desarrolla más opciones

Una de las mejores reglas para el éxito es: eres tan libre como tus opciones bien desarrolladas.

Cuantas más opciones tengas, mayor libertad tendrás. Cuantas más opciones desarrolles, actualizando tus habilidades, ampliando tu producto o tus líneas de servicio, y anticipando las peores cosas que podrían suceder, mayor control tendrás sobre tu destino personal y laboral.

Recuerda, la esperanza no es una opción. Desear no es una opción. Esperar que todo salga bien no es una opción tampoco. Sólo un plan de acción claramente escrito y bien pensado te brinda el tipo de opciones que necesitas para anticipar el cambio y luego dominarlo de manera regular.

Mira hacia el futuro

Si tu negocio se derrumbara, tu trabajo desapareciera, tu ingreso se esfumara y todos tus activos se perdieran, ¿qué harías entonces? Debido a cambios inesperados en la información, la tecnología y la competencia, estos reveses suceden a un gran número de personas cada año. Los que sobreviven y prosperan son aquellos que anticipan estas posibilidades y toman medidas contra ellos.

Supón que estarás en un campo completamente nuevo, en una nueva carrera, en una nueva industria, haciendo un nuevo trabajo, en cinco años. ¿Qué nuevas habilidades, conocimientos y herramientas necesitarás en ese momento para mantenerte y asegurar un alto nivel de vida?

Es asombroso cuántas personas están descontentas, frustradas y atrapadas porque nunca se tomaron el tiempo de sentarse y anticipar los inevitables cambios en el futuro. No dejes que esto te pase a ti.

Prepárate

La marca de la persona superior y el verdadero profesional en cualquier campo es la preparación. Las personas superiores hacen su tarea y están completamente preparadas para lo que pueda pasar.

El momento de tomar un curso de primeros auxilios es mucho antes del accidente. El tiempo para desarrollar una nueva habilidad es antes de que la necesites. Es demasiado tarde para comenzar a pensar en la preparación o el desarrollo de una nueva habilidad después de que la ola de cambio te haya dejado boquiabierto.

Una de las cualidades de las personas importantes es que practican la *orientación futura* la mayor parte del tiempo. La orientación futura es la marca de los líderes y de los mejores pensadores en nuestra sociedad. Piensan bien en el futuro, en el camino de la vida e imaginan lo que tendrán que hacer para prepararse para ese futuro.

Imagina una varita mágica

Practica el ejercicio de la "varita mágica". Al pensar en el futuro, imagina que puedes agitar una varita mágica y hacer tu vida perfecta en las siguientes cuatro áreas críticas que determinan la mayor parte de tu felicidad o tu infelicidad.

Ejercicio: toma un cuaderno y contesta las siguientes preguntas. Presta atención a tu diálogo interno y aplica los conceptos que aprendiste en los capítulos anteriores.

1. Si tu trabajo, negocio e ingreso fueran ideales en cinco años, ¿cómo se verían? ¿En qué serían diferentes de hoy?
2. Si tu familia, tus relaciones, tu hogar y tu estilo de vida fueran perfectos en cinco años, ¿cómo se verían? ¿Y en qué serían diferentes de hoy?
3. Si tu nivel de salud y estado físico fuera perfecto en cinco años, ¿cómo te verías y sentirías? ¿Cuánto pesarías? ¿Cuánto te ejercitarías cada día? ¿Qué alimentos comerías? Y especialmente, ¿en qué serías diferente de hoy?
4. Finalmente, si tu situación financiera fuera perfecta en cinco años, ¿cuánto tendrías en el banco y cuánto ingreso pasivo estarías ganando cada mes y cada año?

Practica la idealización

Uno de los comportamientos más importantes de las personas importantes es la idealización. Al idealizar, creas una visión de un futuro perfecto para ti en cada área de tu vida. Practicas el pensamiento sin límite. Te imaginas que tienes todo el tiempo y el dinero, todos los amigos y los contactos, toda la educación y la experiencia, y todos los talentos y las habilidades que podrías necesitar para ser, tener o hacer cualquier cosa. Si ésta fuera tu situación, ¿qué querrías hacer realmente con tu vida?

Cuando combinas la idealización con el ejercicio de la varita mágica, liberas tu mente de las limitaciones del trabajo diario y el pago de facturas. Practicas lo que se llama el *pensamiento del cielo azul*, un sello distintivo de las personas de alto nivel y de los mejores artistas en cada área. Te imaginas que tienes todo el cielo azul encima de ti sin más límites que tu propia imaginación.

Unas palabras de Christina

A menudo, cuando paso tiempo con mi esposo y tratamos de decidir qué hacer con nuestro día, le pregunto: "Cariño, si éste fuera tu día perfecto, ¿qué harías con él?". Entonces le digo cuál sería mi día perfecto, y encontramos una manera de combinar los elementos de cada uno de nuestros dos días perfectos.

¿Qué tienes que hacer, a partir de hoy, para comenzar a crear el futuro ideal que deseas? Peter Drucker dijo: "Las personas sobreestiman en gran medida lo que pueden hacer en un año, pero subestiman enormemente lo que pueden hacer en cinco años".

Planea tu futuro

Hay una *fórmula de las seis P* para triunfar en la vida: una *p*lanificación *p*revia *p*ropicia la *p*roductividad y *p*reviene una *p*obre. No hay garantías, pero puedes aumentar significativamente la probabilidad de crear una vida maravillosa al decidir qué aspecto tendría y luego preparar todos los detalles minuciosamente por adelantado.

Una de las partes más importantes de la preparación tiene que ver con tu nivel de conocimiento y habilidad. Quizá el mayor ahorro de tiempo es mejorar en las cosas más importantes que haces. Cuanto más te esfuerces en tus tareas clave, mayores serán los resultados y las recompensas que obtendrás, en menos tiempo. Como resultado, te pagarán más y te promocionarán más rápido que de cualquier otra manera.

Anteriormente hablamos sobre la importancia de aceptar la responsabilidad de cada parte de tu vida. Tal vez no haya un área que sea más importante que la aceptación de la responsabilidad de prepararte para el tipo de futuro que deseas. No confíes en la suerte. Las cosas sólo funcionan para las personas que hacen que funcionen bien, porque se preparan minuciosamente por adelantado.

Independientemente de los cambios que experimentes en los próximos meses, cuanto más te prepares, más tranquilo y más efectivo serás. Tus niveles de estrés se reducirán en gran medida y tus niveles de optimismo y felicidad aumentarán considerablemente.

Unas palabras de Christina

Como madre y profesional, sé que la diferencia entre tener un día fluido y eficaz y uno caótico y estresante se reduce a planear el día y organizarse en consecuencia. Al principio de la semana me siento durante una hora y organizo toda la semana en mi planificador (mi favorito es Planner Pad). Hay algo tranquilizador y aclarador cuando escribes las cosas. Reviso todos los días y agrego nuevos artículos si es necesario. Esto me mantiene conectada a la tierra y mucho más efectiva con mi tiempo que si no hubiera planeado la semana con anticipación. He alentado a mis amigos y clientes a practicar esta actividad simple y todos me dicen la diferencia increíble que hace. Les da una tremenda sensación de control.

Analízalo

Muchas emociones negativas se desencadenan por una reacción excesiva, inapropiada, a un revés o a una dificultad inesperada. Es importante que analices con cuidado un problema cuando ocurra para asegurarte de que lo entiendes completamente y para determinar qué puedes hacer para solucionarlo.

Elisabeth Kübler-Ross, la psiquiatra que se especializó en ayudar a las personas a lidiar con una muerte en la familia, describió varias etapas que atraviesan con la muerte de alguien que estuvo cerca de ellas. Descubrió que la gente tiene que progresar a través de estas etapas naturales para llegar al otro lado, donde puede estar en paz y continuar con su vida.

Cuando lidias con grandes interrupciones de la vida, atraviesas por estas mismas etapas. La única pregunta es qué tan rápido las superas y vuelves a la normalidad.

Cuanto más cuidadosamente analices los cambios que están teniendo lugar, más rápido los dominarás y tomarás el control de tus emociones y de tu comportamiento.

SEIS ETAPAS DEL DUELO

(Nota: la teoría de Kübler-Ross cubre las primeras cinco etapas; aquí agregamos la sexta.)

Etapa 1. Negación: la primera reacción a una reversión repentina o experiencia traumática es pensar: "¡Esto no puede estar sucediendo! ¡Esto no puede haber sucedido!". Incluso frente a la realidad del evento, muchas personas se sumergen en negación mucho después de que esté claro que la situación negativa ha ocurrido. Es común ver esto con grandes inversiones comerciales y retrocesos en la carrera o en el matrimonio.

Etapa 2. Enojo: la tendencia natural de la mayoría de la gente es arremeter contra otros y culparlos, o culparse, cuando sucede algo negativo e inesperado. Justifican, racionalizan y tratan de convencerse de que esto no debería haber sucedido y que alguien tiene la culpa.

Etapa 3. Negociación: la persona negocia con ella misma y con los demás para minimizar su papel o su responsabilidad en el evento, o para disminuir la gravedad de lo sucedido.

Etapa 4. Depresión: en este punto, el individuo se da cuenta de que la situación ha ocurrido y no se puede cambiar. La persona ha muerto, el dinero se ha perdido, la carrera o el matrimonio han terminado, y no hay nada que pueda hacerse al respecto. Se siente impotente, pasiva y muy parecida a una víctima.

Etapa 5. Aceptación: finalmente, la persona obtiene control de sí misma y de sus emociones y acepta que lo que sucedió es inmutable y ahora es un hecho que no se puede alterar. Se recompone y comienza a pensar en el futuro.

Etapa 6. Resurgimiento: el individuo se levanta, se pone en marcha y se ocupa, tomando medidas para enfrentar la nueva realidad. Toma el control de su vida y de sus emociones, se siente positivo y optimista, y comienza a avanzar.

La pregunta más importante con respecto a cualquier retroceso o desilusión en la vida es: ¿cuánto tiempo te lleva moverte completamente a través de la experiencia negativa, de la negación al resurgimiento? Algunas personas tardan días o semanas; algunas, meses o años. Y otras nunca se recuperan.

El poder de hacer preguntas

Una de las maneras como puedes tomar el control de una situación negativa es analizándola cuidadosamente. Haces esto formulando las siguientes preguntas. (No es posible permanecer molesto, enojado y fuera de control mientras haces preguntas y buscas entender el cambio que ha tenido lugar.)

"¿Qué pasó exactamente?". En esta etapa, esfuérzate por la precisión. Niégate a atacar o culpar a alguien o algo por lo que ha ocurrido. Enfócate en la claridad y la comprensión.

"¿Cómo sucedió?". Imagina que estás reuniendo pruebas para un tercero; estás más preocupado por la precisión que por la recriminación. Haz preguntas de seguimiento para que comprendas a fondo los detalles.

"¿Qué se puede hacer?". Toma el control de tu pensamiento centrándote en el futuro, en lo que se puede hacer, en lugar de en lo que sucedió, que no puede ser cambiado. Esto te hace más positivo y te pone en control de la situación.

"¿Qué acciones debo tomar ahora?". En lugar de preocuparte o revolcarte en la autocompasión o el remordimiento, ocúpate de tomar las medidas que puedas para resolver la situación y seguir adelante.

Ejercicio: piensa en un retroceso reciente o en una experiencia negativa que hayas tenido y aplica estas cuatro preguntas. Observa cómo pasar por el proceso de hacer y responder estas preguntas cambia tu experiencia de la situación.

Busca primero para comprender

Stephen R. Covey, autor del bestseller *Los 7 hábitos de la gente altamente efectiva*, dijo: "Busca primero para comprender, luego para ser comprendido". Concéntrate en hacer preguntas para mantener la calma y la mente clara.

Evita la tendencia a ser fatalista, pensar o asumir lo peor en una situación difícil. La mayoría de las situaciones no es tan mala como parece al principio, y muy a menudo lo que sucedió no puede modificarse de ninguna forma.

Evita la inclinación natural de confundir la correlación con la causalidad. Uno de los mayores errores de pensamiento que las personas cometen es sacar conclusiones precipitadas. Cuando dos eventos suceden al mismo tiempo, muchas personas asumen inmediatamente que un evento causó el otro. En la mayoría de los casos, sin embargo, los dos eventos que ocurren simultáneamente lo hacen por mera coincidencia. Ninguno de los eventos tiene nada que ver con el otro.

La clave para analizar una situación, para mantener la calma y el control, es continuar haciendo preguntas y recopilando información. A veces, lo que parecía ser un gran revés o problema resulta no ser tan serio como creías. Incluso puede ser una oportunidad.

Saca ventaja de eso

Cuando experimentes una reversión importante en la vida, cambia inmediatamente el lenguaje del problema y en su lugar usa la palabra *situación*, *desafío* u *oportunidad*.

Muchas de las mejores experiencias de tu vida inicialmente aparecerán como un revés o una dificultad. Tu trabajo es aprovecharlo si puedes.

W. Clement Stone, un multimillonario, era famoso por responder a todos los problemas con la frase: "¡Eso está bien!". Luego alentaba a todos a analizar la situación para encontrar algo bueno al respecto. Y siempre lo hacían.

Busca lo bueno en cada dificultad que enfrentas en tu vida. Imagina continuamente que cada uno contiene un beneficio o una ventaja que puedes usar.

Busca la valiosa lección. Imagina que el universo intenta enseñarte una lección que te ayudará a ser más feliz y más exitoso en el futuro. ¿Qué podría ser?

Millonarios hechos a sí mismos

El millonario promedio que se hizo a sí mismo en Estados Unidos ha estado en bancarrota, o casi en bancarrota, 2.3 veces antes de finalmente hacerse rico. Pero la razón por la cual estas personas se hicieron millonarias fue por las lecciones que aprendieron de sus errores anteriores. Si no hubieran fracasado en sus negocios a una edad más temprana, nunca habrían desarrollado el conocimiento y la sabiduría necesarios para tener éxito más adelante. La bancarrota o el fracaso comercial fue traumático en ese momento, pero contenía las semillas de la riqueza futura.

Encontrar a la persona ideal

Muchas personas pasan por un mal matrimonio o una mala relación. Terminan con enojo, amargura y sentimientos negativos. Más tarde, esa misma persona se encuentra con la pareja ideal, se establece y se siente feliz por el resto de su vida.

En retrospectiva, muchas personas felizmente casadas miran hacia atrás a una relación negativa como algo esencial para reconocer la relación correcta cuando llegó. Se dieron cuenta de que si se hubieran quedado en esa mala relación habrían sido miserables durante meses o incluso años. Parece que, como he dicho antes en muchas ocasiones, "los problemas no vienen a obstruir, sino a instruir".

Cómo aprenden las personas

De hecho, los seres humanos sólo aprenden del sufrimiento. Aprenden sólo del dolor. Esto es inevitable. Pero lo que es realmente tonto es que las personas experimenten el dolor pero luego no puedan identificar la lección que lo acompaña. Esto hace que sea mucho más probable que vuelvan a cometer el mismo error.

Lo anterior se aplica especialmente a las personas y a la forma en que tratan su salud. A menudo las personas no invierten mucho tiempo y esfuerzo en cuidarse hasta que se les diagnostica una enfermedad o sufren dolor crónico.

Neutraliza la emoción negativa

Dado que el cambio es inevitable, siempre que tengas una reversión de cualquier tipo puedes neutralizar tus sentimientos al respecto diciendo: "Veo al ángel de Dios en cada cambio".

Considera el cambio como una bendición que contiene ideas y ventajas que puedes utilizar para crear una vida aún más maravillosa en el futuro.

La resistencia de cualquier tipo es una fuente importante de estrés, negatividad y depresión. Lo opuesto a la resistencia es la aceptación de que se ha producido un cambio en tu vida y luego seguir adelante. Se dice que cualquier cosa que resistes, persiste.

Practica la aceptación

Una de las mejores reglas para el éxito es aceptar cosas que han sucedido y que no puedes cambiar. Aceptar un hecho como una realidad es el primer paso para hacerte cargo de ti y de tus emociones, y luego pasar a algo mejor.

La incapacidad de superar una mala experiencia es un bloqueo importante que frena a la gente, a menudo durante muchos años. Una de las señales de superioridad es aceptar que no eres perfecto, que cometes errores y que has tomado malas decisiones y elecciones en el pasado, lo que ha llevado a malos resultados y consecuencias negativas. Los errores son lo que nos hace humanos.

No tengas remordimientos

Un psiquiatra con veinticinco años de experiencia dijo una vez que las palabras más comunes que escuchaba al principio de un periodo de asesoramiento emocional eran "Si tan sólo…".

La gente contaba historias de sus sufrimientos, sus tragedias y motivos de su infelicidad, comenzando con las palabras: "Si tan sólo…". Decían: "Si tan sólo no hubiera hecho eso, tomado esa decisión, aceptado ese trabajo, invertido en esa compañía, o no me hubiera casado con esa persona…".

Es lamentable la frecuencia con la que los remordimientos por los errores que hemos cometido en el pasado nos impiden aprovechar las oportunidades del futuro.

Uno de los grandes secretos del éxito es eliminar la frase: "Si tan sólo…" de tu vocabulario. Nunca vuelvas a decir esas palabras. Acepta que sucedió lo que sucedió. Tal vez en retrospectiva fue desafortunado, pero en cualquier caso ya terminó todo. Es parte del pasado. Es un hecho. No puede ser cambiado.

Deja de pensar que eres especial o elegido de alguna manera, o que no se producirán cambios indeseables en tu vida y tu trabajo. Cuando ocurran, acepta la responsabilidad, concéntrate en el futuro y ocúpate resolviendo tus problemas y logrando tus objetivos.

El gran descubrimiento

Te conviertes en lo que piensas la mayor parte del tiempo.

La mayoría de las veces las personas exitosas y felices piensan en lo que quieren y cómo obtenerlo. Las personas fracasadas e infelices piensan en lo que no quieren, especialmente en las cosas que ocurrieron en el pasado y en la persona que creen que es el culpable de sus problemas.

William James dijo: "El primer paso para enfrentar cualquier problema en la vida es estar *dispuesto* a que así sea".

Di: "Lo que no se puede curar debe perdurar". Recuerda que no eres una víctima. Eres una persona orgullosa, segura de sí misma y autosuficiente, que está completamente a cargo de su vida y su futuro. Niégate a revolcarte en tu arrepentimiento por las cosas y los cambios que sucedieron y que no puedes controlar ni cambiar.

Miedo a la pérdida

La primera motivación importante en la vida es el deseo de ganar. La segunda motivación principal es el miedo a la pérdida. Da la casualidad que las personas temen a la pérdida dos veces y media más intensamente de lo que desean. Pueden estar motivadas hasta cierto punto para obtener ganancias, pero están absolutamente devastadas cuando sufren una pérdida o cuando simplemente *piensan* en perder algo.

Si alguna vez has tenido una relación feliz, un buen trabajo o una situación financiera estable y la has perdido por alguna razón, puedes encontrarte inmerso en el dolor y la pena, a menudo durante muchos meses o años. Para recuperarte de una reversión es importante recordarte que estabas bien antes de tener el trabajo o la relación y que en el futuro volverás a estar bien sin ellos.

La solución es aceptar la realidad de la situación, sea lo que sea. Rehúsate a resistir o luchar contra eso. Deja de sentir lástima por ti y de decirte que "si tan sólo" hubieras hecho algo diferente, este desafortunado evento no habría sucedido.

Costo irrecuperable

En contabilidad hay una serie de costos que se tienen en cuenta en el balance. Uno de ellos se llama *costo irrecuperable*, definido como una cantidad de dinero que se ha gastado y que ahora se ha ido para siempre. En un negocio esto puede incluir publicidad que no induce a los clientes a comprar un producto, hacer productos que no se venden o cualquier gasto del que no haya un beneficio futuro. El dinero se fue.

Muy a menudo en la vida también tienes costos irrecuperables. Puedes gastar enormes sumas de tiempo, dinero y emoción en personas, trabajos e inversiones. Pero ocurren contratiempos y dificultades inesperadas y tu inversión resulta ser un desperdicio.

En lugar de tirar más dinero en algo que no dará frutos, invertir más tiempo y emoción en una mala relación, o pasar más tiempo en algo que obviamente no tiene posibilidades de éxito, debes aceptar que es un costo irrecuperable y decidir soltarlo.

Cuando desarrollas la fuerza de carácter para decir cosas como: "Estaba equivocado; cometí un error; he cambiado de opinión", te parece que es mucho más fácil dejar de lado los desafortunados eventos que han ocurrido y simplemente aceptarlos como parte normal y natural de tu crecimiento y tu desarrollo personal.

Asumir la responsabilidad

Tal vez la mayor fuente de poder personal es lidiar con el cambio al aceptar 100% la responsabilidad de todo lo que ha sucedido. Esto te permite tomar control de ti y de tus emociones, y a menudo de la situación misma.

Una de las principales causas de las emociones negativas que te detienen es el enojo, el miedo, el resentimiento, la envidia y los celos que acompañan a una experiencia infeliz. Cada una de estas emociones existe gracias a que te culpas a ti o a alguien más.

Como ya sabes, cuando dejas de culpar a los demás y aceptas la responsabilidad completa, todas tus emociones negativas se detienen, como si apagaras una luz.

Piensa en la solución

Una de las maneras de asumir la responsabilidad de un cambio o problema en tu vida es que te vuelvas intensamente orientado a la solución.

Cuando la mayoría de las personas experimenta reversiones y fracasos, inmediatamente ataca y busca a alguien a quien culpar, a alguien que tiene la culpa. En su lugar, decide, desde este día en adelante, enfocarte en la solución y no en el problema.

En primer lugar, niégate a poner excusas. Una persona en pleno funcionamiento no está a la defensiva. Si ha cometido un error, lo admite y concentra toda su energía en minimizar o resolver el error.

Rehúsate a criticar a alguien por cualquier cosa. La crítica es algo que un niño aprende al ser criticado desde una edad temprana. Muchos niños crecen para ser extremadamente críticos con los demás, por lo que hacen o dejan de hacer. Criticar a los demás en realidad es un signo de debilidad de tu parte. Es una pérdida de tiempo y evita que afrontes la situación y encuentres una solución.

Rehúsate a quejarte sobre tu situación, o sobre cualquier otra cosa. Como Henry Ford II dijo una vez: "Nunca te quejes, nunca des explicaciones". Si no estás satisfecho con la situación, haz algo para resolverla. Si no puedes cambiarla, decide aceptarla. Pero nunca te quejes.

Cuando criticas o te quejas, te hace débil e ineficaz. Te posicionas como una víctima, como una persona pasiva que tiene poco o ningún control sobre su vida. Las personas que critican y se quejan siempre son negativas e infelices. Tienen sentimientos constantes de inferioridad e indignidad. Entran en una espiral descendente que las hace personas débiles y desagradables.

Piensa en la próxima vez

Una de las claves para asumir la responsabilidad de cualquier situación es utilizar la frase "La próxima vez". Concéntrate en el futuro en lugar de hacerlo en el pasado. Cuando tengas una dificultad o problema, di: "La próxima vez que esto ocurra, ¿por qué no...?".

Puedes decir: "En el futuro, haré...".

Especialmente si eres padre o jefe, y tus hijos o tu personal dejan caer la pelota y te decepcionan, recuerda que eres la persona a cargo. Debes dar la cara, aceptar la responsabilidad y concentrarte en la solución en lugar de hacerlo en el problema.

Sigue diciendo: "¡Soy responsable!"

Tan pronto como aceptes la responsabilidad de un problema o situación, tu mente se volverá más tranquila y clara, y tomarás el control completo. Piensas con mayor claridad, actúas con mayor confianza y tomas mejores decisiones. Al aceptar la responsabilidad de cambios y dificultades inesperados te conviertes en un líder en tu familia, en tu organización y en tu vida.

Adaptarse y ajustarse

Charles Darwin escribió: "Las especies que sobreviven no son las más fuertes ni las más inteligentes, sino aquellas que se adaptan mejor al cambio". Tu capacidad de reconocer, aceptar, anticipar y adaptarte al cambio es la marca de una mente superior y una personalidad positiva. Cuanto más rápidamente reconozcas que se ha producido un cambio y que ahora es irrevocable, más rápido podrás comenzar a adaptarte al cambio y aprovecharlo.

Debido a la acelerada tasa de cambio en la información, la tecnología y la competencia, cada uno de ellos construyendo y magnificando los efectos de los demás, debes estar continuamente pidiendo un tiempo fuera para abordar las nuevas realidades de la situación actual.

Cada vez que ocurra un cambio en tu vida o en tu trabajo, y especialmente cuando experimentas resistencia o frustración tratando de hacer las cosas de la misma manera, tómate el tiempo para repensar tu situación. Mentalmente, libérate del pasado. Piensa en quién eres y qué quieres en el contexto de las nuevas circunstancias.

Reevalúa tu situación para asegurarte de que lo que estás haciendo todavía es coherente con tus objetivos y tus ambiciones a largo plazo. A veces, cuando experimentas contratiempos, dificultades y resistencia, es un indicio de que estás en el camino equivocado, de que estás intentando hacer algo que puede no ser la mejor opción para ti.

Evita la zona de confort

La primera ley del movimiento de sir Isaac Newton establece, en parte, que un cuerpo en reposo permanecerá en reposo a menos que sobre él actúe una fuerza externa.

Ésta es la *ley de la inercia*. En la vida personal, explica el principio de la zona de confort. Las personas se sienten cómodas en una situación particular, incluso si no funciona o no es lo mejor para ellas. Luego se resisten a cualquier información o comentario que sugiera que quizá están en el camino equivocado.

Cuando te tomas el tiempo para reevaluar tu situación según la realidad actual, a menudo ves la necesidad de hacer algo diferente. Siempre debes permanecer abierto a la necesidad del cambio.

Debes estar preparado para reorganizar tu vida también. La tendencia natural de la mayoría de la gente es entrar en rutinas fijas y hacer las cosas de la misma manera, una y otra vez, hasta que se conviertan en un hábito. Las personas establecen rituales en su vida personal y laboral que siguen sin pensar, incluso si estos rituales o hábitos ya no son la mejor forma de vivir o lidiar con una relación o una situación particular.

Ejercicio: ¿qué áreas de tu vida podrías reorganizar para ayudar a que fluya más suavemente y más en armonía con lo que realmente deseas? ¿Qué deberías estar haciendo más o menos? ¿Qué deberías empezar a hacer o dejar de hacer por completo?

Reestructura tu vida

Debes estar preparado para reestructurar tu vida en cada área, especialmente con respecto a tu familia y tu trabajo. En la reestructuración aplica la regla 80/20, que dice que 80% de tus resultados proviene del 20% de tus actividades. Cuando reestructuras tu vida, enfocas más tiempo y atención en el 20% de las cosas que haces que te dan los mejores resultados en términos de éxito financiero y satisfacción personal.

Cuando observes tu vida laboral, encontrarás que 20% de tus actividades representa 80% de tus resultados, y 80% de tus esperanzas y sueños de promoción y un pago más alto. En casa, descubrirás que 20% de las cosas que haces te da 80% de tu felicidad y satisfacción tanto en tu vida personal como familiar. En la reestructuración, enfocas más y más de tu tiempo en aquellas actividades que te brindan los mejores resultados personales y laborales.

Busca formas de reingeniería continua en tu vida y trabajo. La *reingeniería* es otra palabra para *simplificar*. Cuando practicas la reingeniería en tu vida buscas estrategias para hacer las cosas de manera más simple y fácil. A veces puedes rediseñar tu vida al reducir o incluso eliminar actividades que se han convertido en hábitos, pero que ya no contribuyen tanto a tu vida o tu trabajo como otras actividades podrían hacerlo.

Puedes delegar tareas de poca importancia o sin valor a los demás, liberando así tu tiempo para hacer más de las cosas que te dan los mejores resultados y satisfacción. Puedes encomendar tareas como la limpieza de la casa, el mantenimiento del jardín, la lavandería, e incluso la preparación de la comida, a personas que se especializan en esas áreas y que a menudo pueden hacerlas más rápido, más fácil, mejor y de manera más económica que tú.

Cada vez que te sientas abrumado por demasiado trabajo y muy poco tiempo, lo que puede causarte una gran cantidad de estrés, retrocede y mira tu vida; piensa cómo podrías rediseñarla y simplificarla en cada área.

Reinventa tu vida

Practica la reinvención regularmente. Reinventas tu vida cuando te imaginas comenzando de nuevo hoy a la luz de la situación actual. Por ejemplo, imagina que tu trabajo o tu industria desaparece de la noche a la mañana y que tienes que comenzar un nuevo trabajo o una carrera.

> *Ejercicio*: imagina que no tienes limitaciones. Si comenzaras de nuevo, ¿qué trabajo querrías hacer? ¿Dónde te gustaría trabajar? ¿Cuánto quisieras ganar?

Si pudieras hacer algo, ¿qué elegirías hacer? Si fueras financieramente independiente, ¿cómo cambiaría tu vida actual? Deberías pensar en reinventarte cada seis o doce meses a lo largo de tu vida para responder efectivamente a la tasa de cambio imparable.

Recupera el control

Recuperas el control cuando reconsideras, reevalúas, reorganizas, reestructuras, reinicias y reinventas tu vida. Te liberas del bagaje del pasado y te concentras en las posibilidades del futuro. Sientes una tremenda sensación de poder personal y confianza. Te pones a cargo de tu vida, en lugar de permitir que tu vida esté determinada por las decisiones del pasado o por las presiones del presente.

Finalmente, participas en el *resurgimiento*. Esto es cuando contraatacas las frustraciones y las tensiones en tu vida. Tomas medidas con valentía en la dirección de tus sueños y las metas. Te sientas en el asiento del conductor de tu propia vida, pones las manos en el volante y decides tu propia dirección.

Orientado a la acción

La tendencia natural de la mayoría de las personas, cuando se enfrenta a cambios rápidos o reversiones inesperadas, es sentirse aturdida y pasiva. Se siente frustrada e incapaz de moverse. Se detiene y aguarda, esperando que alguien o algo más venga a ayudarla.

Pero todas las personas exitosas están intensamente orientadas a la acción. Piensan en términos de lo que pueden hacer en lugar de esperar a que alguien más se les acerque y cuide de ellas o se haga cargo de la situación. Desarrollan un sentido de urgencia y un sesgo de acción. Siguen avanzando. Y al avanzar, al igual que en el esquí, cuanto más rápido te mueves, tienes mayor control.

Responde

Como se mencionó anteriormente, tu vida será una serie continua de problemas y crisis. Por tu naturaleza, las crisis vienen espontánea e inesperadamente. La única parte de una crisis que puedes controlar es tu respuesta ante ella. ¿Resistes tus problemas y tomas medidas positivas o dejas que te abrumen?

El Premio Nobel de Literatura e historiador Arnold Toynbee estudió el ascenso y la caída de las civilizaciones a través de los años. Con base en su trabajo, desarrolló la *teoría del desafío y la respuesta* de la historia.

Descubrió que cada civilización comenzaba como una pequeña tribu o un grupo de personas que enfrentaba un desafío o una confrontación que amenazaba su supervivencia. En respuesta, el grupo se reorganizaba para enfrentar y superar el reto de manera efectiva. Como resultado, sobrevivió y creció más.

Pero cada crecimiento desencadenó desafíos aún mayores de fuerzas externas, generalmente tribus hostiles o ejércitos. Con cada paso adelante, el grupo se enfrentaría a un reto aún mayor, ante el cual tendría que responder de manera efectiva para seguir sobreviviendo y prosperando.

RETO Y RESPUESTA

Las veintisiete grandes civilizaciones de la historia comenzaron con una sola tribu. En el caso de los mongoles, que construyeron el mayor imperio de la historia mundial, comenzó con tres personas.

Lo que Toynbee concluyó fue que una civilización continuaría creciendo mientras respondiera efectivamente a los desafíos inevitables que enfrentaba en su proceso de crecimiento, especialmente en competencia con otras civilizaciones, naciones y tribus.

En tu vida ocurre lo mismo. Cada desafío que enfrentas requiere que respondas, ya sea de manera efectiva o ineficaz. Cuando respondes efectivamente, creces como persona en conocimiento, sabiduría y habilidad. Este nuevo crecimiento inevitablemente desencadena otro desafío de algún tipo, al que también debes responder con eficacia. Este proceso sigue y sigue a lo largo de tu vida.

La única parte de la teoría del desafío y la respuesta que puedes controlar es tu respuesta a los inevitables altibajos de la vida. Al resolver de antemano que responderás de manera efectiva, mentalmente te preparas para enfrentar cualquier cosa que el mundo te depare. Como escribió Nietzsche: "Lo que no nos mata nos hace más fuertes".

Tu nivel de "capacidad de respuesta" frente a los inevitables retos de la vida personal y empresarial es la verdadera medida de tu carácter y tus habilidades. Los líderes son aquellos que responden eficazmente, una y otra vez, y como resultado se les dan desafíos cada vez mayores.

Considera todo lo que te sucede como un desafío, algo a lo que puedes elevarte, y al hacerlo, ser mejor y más fuerte como persona. Cuanto mejor y más fuerte te vuelvas, más feliz y más exitoso serás en cada área de tu vida.

Acepta el cambio como progreso

De hoy en adelante, acepta el cambio como la clave para el progreso. No es posible crecer, madurar y darse cuenta de todo lo que eres capaz sin una cantidad continua de turbulencias e interrupciones en tu vida.

Cambia tu vocabulario. Reemplaza la palabra *cambio* con la palabra *mejora*.

Cada cambio contiene una oportunidad para ti de mejorar la calidad de tu vida y tu trabajo. ¿El vaso está medio lleno o medio vacío? El optimista siempre está buscando lo bueno y cómo puede beneficiarse de un cambio en las condiciones, en lugar de sentir lástima por sí mismo y arremeter contra aquellos que siente que son responsables.

Supón que estás siendo guiado por un gran poder y que todos los cambios en tu vida tienen como objetivo ayudarte a ser más feliz y más exitoso en el futuro. Esta actitud te hará una persona más positiva.

En nuestros seminarios, les decimos a las personas que cuando se fijan un objetivo nuevo y grande, su vida a menudo entrará en un periodo de interrupción. Alguien puede establecer un objetivo para duplicar sus ingresos y de repente se encuentra con que lo despiden de su trabajo a la semana siguiente. Más tarde encuentra un nuevo trabajo, y allí tiene la oportunidad de ganar más que nunca. En retrospectiva, se da cuenta de que, si no hubiera sido despedido, se habría quedado, por la ley de la inercia, en el viejo trabajo indefinidamente. Llega a la conclusión de que ser despedido es la manera como Dios le dice que él estaba en el trabajo equivocado.

Cuando una relación no funciona, imagina que es parte de un gran plan para hacerte más feliz y más exitoso en el futuro. Perder una relación o un matrimonio probablemente es la forma como Dios te dice que, para empezar, estás en la situación equivocada. En lugar de enojarte y frustrarte, y culpar a otras personas por el cambio, asume que todo es parte de un gran plan para avanzar hacia el cumplimiento de tu potencial.

Muchos de nuestros mayores cambios e interrupciones en la vida no se ven como algo bueno cuando los experimentamos por primera vez. Pero a medida que te adaptas, te ajustas y respondes de manera efectiva al cambio, a menudo puede ser exactamente lo que necesitas para llegar a ser más y más de lo que realmente eres capaz de llegar a ser.

Capítulo 6

Las personas en tu vida

*Cuando mires hacia atrás en tu vida, encontrarás
que los momentos que sobresalen, los momentos que
realmente has vivido, son los momentos en
los que has hecho las cosas con un espíritu de amor.*
HENRY DRUMMOND

Todos quieren ser felices. Tu capacidad para construir y mantener relaciones amorosas y felices a largo plazo con otras personas es fundamental para tu felicidad, tu salud y todo lo que logres en la vida.

A veces comienzo un seminario preguntando: "¿Quién es la persona más importante en esta sala?".

La gente grita diferentes respuestas: "¡Tú! ¡El jefe!". Y finalmente algunas personas dicen: "¡Yo!".

En ese momento, digo: "¡Tienes razón! Eres la persona más importante en esta sala. Eres la persona más importante en toda tu vida. El mundo entero gira en torno a cómo piensas y te sientes al respecto".

La calidad de tu vida

Eres importante. Y qué tan importante y valioso crees que eres en gran medida determina la calidad de tu vida. Prácticamente todos tus problemas en la vida —personal, profesional y políticamente— provienen de personas que no se consideran particularmente valiosas, importantes o significativas.

Los problemas personales y sociales, los defectos de personalidad, el crimen, el comportamiento antisocial e incluso los problemas internacionales están enraizados en la sensación de no ser importantes, de no ser lo suficientemente buenos.

Las personas que se quieren y se consideran valiosas tienen altos niveles de autoestima y respeto por sí mismas. Cuanto más te gustas y te respetas, más te gustan y respetas a los demás, y cuanto más te quieren y te respetan los demás.

Cuánto te gustas

Se ha dicho que todo lo que hacemos en la vida es ganar autoestima o proteger nuestra autoestima de daños. Tu nivel de autoestima, qué tan importante te consideras, determina la calidad de tu vida interna y externa.

La mayor parte de tu felicidad y tu éxito está determinada por tus relaciones con otras personas, tanto en tu hogar como en el mundo que te rodea. Lo bien que te lleves con los demás determina en gran medida la calidad de tu matrimonio y tu crianza, tu nivel de pago y de promoción, y tu éxito en la vida y en tu carrera.

Mientras más positivo seas como persona, más gente querrá contratarte, promocionarte, comprarte, socializar contigo, salir contigo, casarse y estar cerca de ti.

Los padres con alta autoestima crían hijos con alta autoestima. Los jefes con alta autoestima crean lugares de trabajo de alta autoestima y alto rendimiento. Las personas con alta autoestima son las personas más queridas y deseables en tu mundo.

Haz que los demás se sientan importantes

La clave del éxito en las relaciones humanas es simple: hacer que los demás se sientan importantes. Desarrolla su autoestima en cada oportunidad.

Todo lo que haces o dices para que otras personas se sientan importantes aumenta tu autoestima y tu sentido de valor personal. Cuando haces que las personas se sientan importantes, se gustan y se respetan más. También te quieren y te respetan más, y están dispuestas a ser guiadas, dirigidas e influidas por ti.

Daniel Goleman, autor de *Inteligencia emocional*, fue entrevistado por la revista *Fortune* una vez y se le preguntó: "¿Cuál es la cualidad más importante de la inteligencia emocional?".

Él respondió: "De todas las cualidades, tu nivel de persuasión es la mejor medida de cuán plenamente integrado eres". El nivel de tu autoestima determina en gran medida tu nivel de persuasión y cuánta influencia tienes sobre los demás. Lo mucho que te gustas determina en gran medida la importancia que le das a otras personas cuando están a tu alrededor.

Has escuchado el dicho "No te amo por lo que eres, sino por cómo me haces sentir cuando estoy contigo". Cuando las personas se sienten valiosas y respetadas en tu presencia, te conviertes en una persona persuasiva e influyente. Maya Angelou, la poeta, escribió: "La gente muy pronto olvidará lo que dijiste, pero nunca olvidará cómo la hiciste sentir".

Desarrolla la autoestima en los demás

Hay cinco comportamientos que puedes practicar para desarrollar la autoestima en otras personas, hacer que se sientan importantes y propiciar que les gustes y quieran ayudarte. Cada uno de estos cinco comportamientos comienza con la letra A.

1. **Aceptación:** la raíz de la autoestima es la autoaceptación. Qué tanto se aceptan las personas a sí mismas está determinado en gran medida por la forma en que se sienten completamente aceptadas por las personas que las rodean. La necesidad de aceptación se encuentra en la raíz de muchos comportamientos, tanto personales como políticos. La gente clama por ser aceptada tal como es, en sus propios términos. A menudo responde con enojo y frustración cuando otros la rechazan por cualquier razón. Por ejemplo, el punto crítico en el libro y la película *El diario de Bridget Jones* ocurre cuando conoce a un hombre al que le gusta por quien es.

¡Todos sus amigos están asombrados! No pueden creer que en realidad haya un hombre que quiera a una mujer tal como es.

Cuando te gustan y aceptas a las personas tal como son, apelas a una de las emociones más profundas de la naturaleza humana: el deseo de la aceptación incondicional de otras personas. ¿Y cómo expresas aceptación? Sencillo: sólo sonríes.

Hay un viejo dicho que dice que se requieren más músculos para fruncir el ceño que para sonreír. Cuando sonríes a otra persona, simultáneamente reconoces su valor, apruebas su apariencia y expresas tu placer de ser su compañía. Cuando le sonríes a otra persona, se siente más valiosa e importante, y su autoestima aumenta. A veces, una sonrisa puede ser tan poderosa que cambia el estado de ánimo de una persona, la atraiga irresistiblemente a otra persona y, a menudo, lleve a la gente a casarse y establecerse felizmente por el resto de su vida.

¿La mejor noticia de todas? Todo lo que haces para elevar la autoestima de otra persona también aumenta tu propia autoestima. La Biblia dice: "Más bienaventurado es dar que recibir". En otras palabras, lo que esto significa es que obtienes más placer y satisfacción personal al dar de ti mismo y aceptar a los demás de lo que ellos reciben. Cuando pasas el día haciendo y diciendo cosas que hacen que las personas se sientan más valiosas e importantes, te sientes más valioso e importante.

Del mismo modo, todo lo que haces o dices que hiere o reduce la autoestima de otra persona también afecta y reduce tu autoestima. Si te vuelves negativo o te enojas con otra persona, te sientes negativo y enojado contigo mismo. Cuanta más amabilidad y calidez le expreses a otro, más amabilidad y calidez tendrás para ti.

2. **Aprecio:** cada persona tiene una profunda necesidad interior de ser apreciada por lo que es y lo que hace. Cada vez que expresas aprecio a otra persona por cualquier motivo, su autoestima aumenta inmediatamente. Se gusta más, y como resultado, le gustas aún más porque eres tú quien está generando este sentimiento en ella.

Por ejemplo, tuve un amigo en la universidad que recibió un regalo de San Valentín de su novia que le causó tal impacto que no pudo evitar decirles a todos. Nunca olvidaré lo que hizo su novia. Escribió una lista de cien razones por las que lo amaba. Imagina obtener una lista de alguien importante para ti que te dice cientos de razones por las cuales eres importante para él o ella. Puede cambiar tu vida para siempre.

¿Y cómo expresas aprecio? Sencillo: dices gracias en cada ocasión. Esta frase parece ejercer un efecto mágico en otras personas. Cuando agradeces y aprecias a una persona, se siente más valiosa. Siente que lo que está haciendo es mejor y de mayor calidad. Mientras más les agradeces a las personas, es más probable que hagan un trabajo de mayor calidad. Cuanto más le agradeces a la gente, más motivada está para hacer las mismas cosas que te hicieron agradecerle en primer lugar.

Con los años, he viajado a más de 120 países. Las primeras palabras que siempre aprendo cuando voy a un nuevo país son *por favor* y *gracias*. Puedes arreglártelas en cualquier parte del mundo diciendo "por favor" y "gracias" en cada ocasión. Las puertas se abrirán para ti, las personas te ayudarán, y todos allanarán tu camino.

En tu familia y en tu trabajo, sonríe continuamente, y di por favor y gracias en cada ocasión, incluso si no hay ninguna razón. Cada vez que hablo con alguien de mi negocio, termino la conversación con un agradecimiento. De alguna manera, estoy agradeciendo a las personas sólo por estar vivas. Y las personas siempre responden positiva y cordialmente cuando expresas aprecio por ellas.

Ejercicio: dale a tu pareja o a otra persona importante en tu vida una lista de diez cosas que aprecias de él o ella.

3. **Admiración:** Abraham Lincoln dijo: "A todo el mundo le gusta un cumplido". Cuando felicitas a otra persona por algo, su autoestima aumenta y su autorrespeto también. Se siente feliz consigo misma y más feliz de estar en tu presencia.

Cuanto más específicamente admires algo en la vida, el trabajo o la personalidad de otra persona, mayor será el impacto que tendrá en sus sentimientos.

La gente está muy orgullosa de los rasgos que ha desarrollado a lo largo de su vida, a veces con gran esfuerzo y disciplina. Siempre se siente halagada cuando alguien nota un rasgo particular en cuyo desarrollo ha invertido tanto tiempo y esfuerzo. Ejemplos: "Eres muy puntual. Eres muy disciplinado. Eres un buen oyente".

Puedes felicitar a las personas por su entorno: "Ésta es una hermosa oficina o ésta es una hermosa sala de estar". Las personas invierten mucho tiempo y pensamientos en su entorno, y siempre se sienten halagadas cuando lo notas y las felicitas.

Puedes felicitar a las personas por sus posesiones personales o por su vestimenta: "Es un portafolio muy bonito. Es una bolsa hermosa. Ese traje se te ve bien o ese vestido te queda perfecto". Siempre y cuando el cumplido sea genuino, las personas se sentirán más felices e importantes inmediatamente cuando reciban un cumplido de casi cualquier persona por cualquier motivo.

4. **Aprobación:** se dice que "los niños lloran por ello y los hombres adultos mueren por ello".

Una de las definiciones de autoestima es el grado en que una persona se siente digna de elogio. La alabanza satisface uno de los anhelos más profundos de la naturaleza humana. Cada vez que alabas a una persona por cualquier cosa, grande o pequeña, inmediatamente aumenta su autoestima y crece su sentido de valor e importancia personal.

En los negocios, la aprobación y el reconocimiento van de la mano. Lo que sea que apruebes y reconozcas en otra persona, obtendrás más de ello. Cuanto más apruebas el comportamiento de una persona en un área particular, más repetirá ese comportamiento para que pueda obtener aún más aprobación y reconocimiento en el futuro. El uso de la aprobación continua es una forma maravillosa de desarrollar conductas habituales en otros, tanto adultos como niños, que son útiles tanto para ellos como para ti.

Cuando se trata de comportamientos menos deseables, si en lugar de criticar a una persona por su bajo rendimiento simplemente lo ignoras, el bajo rendimiento se detendrá gradualmente. Cuando simultáneamente das aprobación y reconocimiento por un excelente trabajo o desempeño, la persona estará motivada para hacer más y más de las cosas por las cuales obtiene recompensas positivas, y menos de esas cosas por las cuales no recibe ningún comentario.

La clave de la aprobación es hacerla específica e inmediata. En lugar de decir a tu hijo: "¡Eres un gran niño!", puedes decir: "Hiciste un excelente trabajo limpiando tu habitación esta mañana". En lugar de decir a tu secretaria: "Estás haciendo un trabajo maravilloso", deberías decir: "Escribiste ese informe de manera estupenda y sin errores. ¡Eres realmente excelente en lo que haces!".

Obtendrás más de lo que apruebes. Así que aprueba específicamente, y aprueba inmediatamente después del acto para un impacto máximo. Si una persona hace un gran trabajo al principio del mes y no lo mencionas hasta el final, tiene muy poco poder de motivación. Todo el impacto de la aprobación se habrá agotado por el tiempo.

Pero cuando elogias a una persona inmediatamente después de que ha hecho algo positivo o útil, aumentas significativamente la probabilidad de que repita ese comportamiento en el futuro cercano.

Además, cuando elogias a las personas frente a los demás, multiplicas el impacto de ese elogio sobre su autoestima y su comportamiento posterior. Ken Blanchard, en su libro *El ejecutivo al minuto*, recomienda que "atrapes personas haciendo algo bien".

Cuando elogias a las personas frente a los demás, e incluso te jactas ante los demás sobre el desempeño superior de la persona que está parada allí, generalmente se siente halagada, avergonzada y motivada, todo al mismo tiempo.

Cuando elogias a una persona frente a un grupo de personas, multiplicas las emociones positivas que esa persona sentirá. Aumentas de manera significativa la probabilidad de que repita ansiosamente ese comportamiento en el futuro. Al mismo tiempo, motivas a los demás que aplauden a querer involucrarse en ese comportamiento para que puedan recibir elogios y aprobación públicos y privados.

Da retroalimentación en privado

Si debes dar retroalimentación a una persona debido a un rendimiento deficiente de algún tipo, siempre hazlo en privado, fuera de la vista y del oído de otras personas. Esto reduce drásticamente el impacto negativo de una evaluación del rendimiento y hace que sea más probable que el individuo escuche lo que estás diciendo y lo haga mejor la próxima vez.

Ejercicio: elige tres personas en las que confíes y diles algo que estén haciendo bien. Sé sincero y específico.

5. **Atención:** una de las formas más poderosas de decirle a la gente que es importante y elevar su autoestima se llama *escuchar*.

Las personas efectivas son buenas oyentes. Las personas populares son buenas oyentes. Los líderes son oyentes. En lugar de hablar todo el tiempo, las personas más queridas y respetadas son absolutamente excelentes escuchando atentamente a los demás.

En lugar de hablar, hacen preguntas. Parece haber una relación directa entre la cantidad de preguntas que haces y cuánto le agradas a las personas y confían en ti. También existe una relación directa entre la cantidad de preguntas que haces y la cantidad de tiempo que puedes escuchar. Y cuanto más escuchas a otra persona cuando está hablando, más le gustarás a la otra persona y confiará en ti, y estará abierta a ser influenciada por ti.

CUATRO CLAVES PARA UNA ESCUCHA EFECTIVA

Existen cuatro claves para una escucha efectiva:

1. **Escucha atentamente, sin interrupciones.** Inclínate hacia adelante y ponte frente a la otra persona de manera directa. Sé un

oyente activo: inclínate, sonríe y asiente mientras la otra persona está hablando, y no intentes interrumpir o comentar lo que está diciendo.

Cuando una persona es escuchada atentamente por otra, esa persona experimenta cambios fisiológicos mensurables. Su ritmo cardiaco se eleva. Su respuesta galvánica de la piel aumenta. Y lo mejor de todo es que su cerebro libera endorfinas, la "droga de la felicidad" de la naturaleza, que le da a la persona un sentimiento de importancia, valor y autoestima.

2. **Pausa antes de responder.** En lugar de saltar con la primera cosa que te viene a la mente, haz una pausa en silencio después de que la persona haya terminado de expresarse.

Pausar tiene tres ventajas: primero, evitar la posibilidad de interrumpir si la otra persona simplemente está concentrando sus pensamientos. En segundo lugar, hacer una pausa en silencio le dice a la persona que estás considerando cuidadosamente lo que ha dicho porque es importante para ti. Escuchar le dice a la otra persona que sus palabras son importantes y, por lo tanto, ella es importante.

En tercer lugar, cuando pausas antes de responder y dejas un silencio en la conversación, realmente escuchas lo que la otra persona dice en un nivel más profundo. Sus palabras penetran en tu cerebro y reconoces los matices que te habrías perdido si hubieras comenzado a hablar de inmediato.

Recuerda, no es tanto lo que se dice como lo que no se dice, o lo que se dice entre líneas, lo que contiene el significado más profundo del mensaje que la otra persona intenta transmitir. Al hacer una pausa después de que la otra persona ha hablado, te vuelves un oyente sigificativamente mejor. En realidad escuchas mejor.

3. **Pregunta para aclarar.** Nunca supongas que sabes lo que la persona quiso decir con lo que dijo. Si tienes alguna pregunta en mente, después de que la persona haya terminado de hablar y haya permitido un cierto periodo de silencio, puedes preguntar: "¿Qué quieres decir?".

Una de las reglas más importantes en las relaciones es que la persona que hace preguntas tiende a tener el control de la conversación. La persona que hace las preguntas demuestra un interés genuino en la otra persona. Cuando haces una pregunta sincera o una serie de preguntas y escuchas atentamente las respuestas, guías toda la dirección de la conversación. Esto crea una mayor confianza entre tú y la otra persona. Y cuanto más escuchas, más valiosa e importante se siente la otra persona. Cuanto más escuchas, mayor es la autoestima y el respeto propio de la persona que es escuchada.

Tal vez la regla más importante en la conversación es que escuchar crea confianza. No hay una forma más rápida de construir una relación cálida y de confianza, en la vida laboral o personal, que hacer preguntas sinceras y escuchar atentamente las respuestas, mientras la otra persona quiera hablar.

4. **Parafrasear lo que la otra persona dijo.** Aliméntalo con tus propias palabras antes de hablar. Cada persona tiene una profunda necesidad de ser entendida por los demás. La forma en que claramente transmites que has entendido las palabras y el significado de lo que la persona ha dicho es reformulándola en tus propias

palabras y haciendo que reconozca que has recibido el mensaje.

Antes de comentar o responder, detente un momento y di: "Déjame asegurarme de que entiendo lo que dices (o sientes). Por lo que acabas de decir, tengo la impresión de que así es como piensas y sientes…".

Cuando la otra persona dice: "Sí, eso es, eso es lo que trato de decir", sólo entonces respondes con tu punto de vista.

PRACTICA LA RETROALIMENTACIÓN

La *retroalimentación* es un ejercicio que a las parejas que discuten mucho se les enseña a practicar para mejorar su relación. Así es como funciona.

Cuando las parejas comienzan a discutir, aceptan que darán retroalimentación en esta disputa. Una persona tiene la oportunidad de expresar sus pensamientos, sus sentimientos y sus motivos de infelicidad o insatisfacción. Pero antes de que la segunda persona pueda responder, debe retroalimentar al orador original con sus propias palabras. El primer orador debe escuchar de manera atenta, sin interrumpir, y luego de aclarar cualquier concepto erróneo, decir finalmente: "Sí, ése es mi punto. Así es como pienso (o me siento) sobre este tema".

Sólo cuando la primera persona acepta la interpretación de la segunda puede dar su punto de vista sobre la situación. Luego tiene que retroalimentarla de vuelta para su satisfacción.

Este ejercicio simple reduce de modo significativo los argumentos o los desacuerdos que tienen lugar en muchas relaciones. Esto se debe a que es casi imposible discutir *lentamente*.

Cuando una pareja se ve obligada a reducir la velocidad y retroalimentar a la otra persona exactamente sobre lo que acaba de decir, la mayor parte del enojo queda fuera de discusión. Es reemplazado por un deseo sincero de parte de ambas personas de entenderse.

LA PRÁCTICA CONDUCE A LO PERMANENTE

Puedes practicar las cinco A del desarrollo de la autoestima, hacer que las personas se sientan importantes, en cada interacción con los demás, desde el momento en que te levantas por la mañana, durante el día y hasta la noche. Comienza con tu familia antes de ir a trabajar.

Puedes practicar la aceptación sonriendo a las personas y mostrándoles que realmente te importan y te agradan. Puedes expresar tu agradecimiento al dar las gracias en cada ocasión tanto en las acciones pequeñas como en las grandes. Puedes expresar admiración de manera regular por las cosas que las personas tienen o las cualidades que demuestran. Puedes expresar tu aprobación elogiando a las personas en cada ocasión por logros grandes y pequeños. Y puedes prestar atención escuchando atentamente a los demás cuando quieran hablar.

Inicialmente, la práctica de estos comportamientos puede requerir una tremenda disciplina de tu parte, en especial si no los ha practicado en el pasado. Pero como dijo Goethe: "Todo es difícil antes de que sea fácil".

Cuanto más practiques deliberadamente elevar la autoestima de los demás y hacer que se sientan importantes, más automático y fácil será, hasta que se convierta en una parte normal y natural de tu conversación. Mientras practicas las cinco A, tu propia autoestima también aumentará. En poco tiempo, te llevarás maravillosamente bien con las personas importantes en tu vida.

Matrimonio y relaciones

El matrimonio y las relaciones íntimas son las interacciones más importantes, intensas y emocionales que formas en tu vida. Tu capacidad para establecer una relación feliz con otra persona es una verdadera medida de la calidad de tu personalidad. Uno de tus grandes objetivos en la vida es aprender a construir y a mantener una relación superior al menos con otra persona.

Aunque cada relación es diferente, todas tienen ciertos elementos esenciales en común. Cuando puedas identificar las áreas problemáticas más comunes y resolverlas, podrás mejorar significativamente la felicidad de tu relación con esa otra persona.

ELEMENTOS EN COMÚN

Todas las relaciones se basan en ciertos principios clave. Cuando puedes identificar estos principios y analizarlos en términos de tu propia relación, a menudo puedes encontrar maneras de aumentar significativamente tu felicidad y la de la otra persona.

Aunque lees mucho sobre la tasa de divorcios en nuestra sociedad, el hecho es que más de la mitad de los hombres y las mujeres se casan con una persona y permanecen felizmente casados con ella por el resto de sus vidas. Aunque hay una gran cantidad de divorcios, por lo general se concentran en personas que tuvieron una educación difícil y tensas relaciones con sus padres. No vieron ni atestiguaron a dos personas enamoradas y felizmente casadas mientras crecían, y como resultado, a menudo les resulta difícil como adultos formar un matrimonio feliz.

Muchas personas que se casan y se divorcian a menudo se divorcian dos o tres veces, y aún más. Esto infla de manera importante las estadísticas de divorcio. Pero, en general, al practicar algunos de los principios de las buenas relaciones y eliminar algunas de las causas de las malas, puedes vivir felizmente durante mucho tiempo con otra persona, tal vez por el resto de tu vida.

Hay seis problemas principales que conducen a la infelicidad, la frustración e incluso el colapso de la relación. Una vez que elimines estos obstáculos, tu relación será mucho más amena que antes.

1. **Falta de compromiso:** para que una relación sea exitosa, ambas partes deben estar totalmente comprometidas con ella. Debe haber una decisión 100% sincera para que esta relación tenga éxito. En ausencia de este compromiso total, la relación puede comenzar a desmoronarse, especialmente bajo estrés, que nunca falta.

Una de las manifestaciones de la falta de compromiso se muestra en lo que se llama una relación a mitad de camino. Esto ocurre cuando una o ambas partes deciden que avanzarán sólo a la mitad del camino para hacer que la relación funcione.

Muchas parejas que trabajan se casan y luego continúan como si fueran personas solteras que viven juntas. Mantienen cuentas bancarias separadas. Dividen los gastos de la familia en partes iguales y mantienen notas cuidadosas sobre quién ha pagado qué cantidades por cosas como alquiler, servicios públicos y teléfono.

La falta de compromiso en una relación a menudo se manifiesta por un acuerdo prenupcial que protege a cada parte en caso de divorcio, que casi siempre sigue. Cuando las personas firman un acuerdo prematrimonial, anticipan el fracaso de la relación y toman medidas para lo que harán cuando se separen. Esto cae en la categoría de la profecía autocumplida, y casi siempre se realiza.

La falta de compromiso se basa en el miedo al fracaso, el miedo a equivocarse al casarse con la persona equivocada y luego lamentarse. Debido a este miedo al fracaso, aprendido en la primera infancia, el adulto a menudo se retrae y sólo da tanto de sí mismo como sea necesario para mantener la relación.

La falta de compromiso genera sentimientos de inseguridad, especialmente por parte de la otra persona. Se dice que en muchas relaciones hay alguien que ama más y alguien que ama menos.

La persona que ama más siempre está dispuesta a poner más de sí misma en el éxito del matrimonio. La persona que ama menos retiene continuamente el compromiso total de la relación, aumentando los sentimientos de inseguridad e inadecuación en la otra persona.

Cuando una persona es víctima de una falta de compromiso por parte del otro, que se manifiesta en una crítica continua, tiende a sentir que es inferior, insuficiente, y que no merece ser amada por completo. Esto crea tensión, estrés, discusiones, depresión e incluso enfermedades físicas y mentales.

La solución para la falta de compromiso es simple: haz un compromiso total con tu matrimonio desde el primer minuto en que decidas casarte. Pon todo tu corazón en ello. No retengas nada. Combina todos tus recursos como una sola unidad. Dedícate al éxito de esta relación por encima de todo.

Unas palabras de Christina

Damon y yo decidimos desde el principio en nuestra relación que estábamos comprometidos en un 110% el uno con el otro. Como en toda relación, hemos tenido algunos baches en el camino, pero ambos sabemos que, sin importar qué, nos hemos comprometido a resolver cualquier problema que surja. Ninguno de nosotros duda alguna vez del compromiso total del otro. Esto crea una gran seguridad en nuestra relación. Nos brinda mucho espacio para encontrar formas de navegar en nuestros conflictos y asegurar que disfrutemos de la satisfacción mutua y la felicidad en nuestro matrimonio. Aquí hay dos puntos importantes:

1. Si no puedes comprometerte de todo corazón con un matrimonio o una relación, en primer lugar no deberías entrar en la relación.
2. Cuando haces un compromiso total con otra persona, a menudo te sentirás completamente liberado. Al renunciar a tu libertad, en realidad obtendrás una tremenda sensación de libertad. Puedes liberarte completamente dedicándote por completo a una persona.

2. Intentar cambiar a la otra persona o esperar que cambie de algún modo: hay un dicho utilizado por los agricultores: "Nunca intentes enseñar a un cerdo a volar, por dos razones. En primer lugar, no importa cuánto trabajes, el cerdo nunca va a volar. En segundo lugar, eso sólo irritará al cerdo".

En términos emocionales, tratar que otra persona modifique un comportamiento o una característica fundamental sugiere que la persona no es lo suficientemente buena tal como es. En lugar de expresar la aceptación incondicional de la otra persona, estás rechazando una parte fundamental de su personalidad o su comportamiento. Cuando intentas cambiar a otra persona, estás atacando su sentido de valor personal y bajando su autoestima. Como las personas no pueden cambiar, incluso si lo desean, intentar cambiar a otra la hace sentir frustrada y, a menudo, atrapada.

El antídoto para tratar de cambiar a otra persona es la completa aceptación de esa persona con todas sus cualidades, positivas o negativas, para amarla tal como es.

La necesidad más profunda que tienen los seres humanos es ser incondicionalmente aceptados por las personas más importantes en su vida, especialmente su pareja.

Unas palabras de Brian

Después de que mi esposa y yo nos conocimos y nos enamoramos, nos mudamos juntos. Un día, ella me hizo sentar y me pidió que le dijera todas las cosas sobre ella que no me gustaban para que pudiera empezar a trabajar para cambiarlas. Ella quería que fuera feliz en nuestra relación.

Después de agotar mi mente por un tiempo, finalmente le dije que no podía pensar en nada sobre ella que yo cambiaría. La amaba por completo, especialmente por su carácter y su personalidad. Estaba bastante satisfecho. No había nada que quisiera cambiar por ningún motivo.

Debido a su crianza y a las críticas que había experimentado en el pasado, ella fue muy escéptica de mi respuesta. Me acusó de contenerme. Dijo que no estaba siendo sincero y honesto con ella.

Durante varias semanas sacó este tema una y otra vez, y me pidió que fuera sincero con ella y le dijera qué era lo que no me gustaba de ella para que pudiera cambiarlo. Le di la misma respuesta todo el tiempo. No podía pensar en nada acerca de ella que no me gustara.

Finalmente, un día, se encendió una luz en su mente. De repente se dio cuenta de que estaba diciendo la verdad. Estaba absolutamente asombrada. Había tenido la idea de que tenía ciertas cualidades que no eran aceptables. Tenía una falsa creecia que tenía que soltar, y lo hizo. Hemos sido felices desde entonces.

Así debería ser un matrimonio feliz. Ambas partes deben aceptarse mutuamente de manera incondicional, reconociendo que nadie es perfecto, y no pedir ni esperar que la otra persona cambie.

3. **Celos:** ésta es una de las peores emociones negativas. Puede causar tremenda infelicidad en la persona que experimenta los celos y en la persona a la que van dirigidos.

La sensación de que nadie podría amar realmente a la persona celosa por completo es la causa raíz de esta emoción negativa.

La propensión a experimentar los celos proviene de la crítica destructiva y la falta de amor en la primera infancia. El niño crece sintiendo que de alguna manera es inferior o insuficiente. Como adulto, con frecuencia se compara negativamente con otros.

Cuando la persona celosa entra en un vínculo o una relación romántica, está plagada de una gran sensación de inseguridad y de que la otra persona encontrará que tiene fallas fundamentales.

El antídoto contra los celos es una alta autoestima. Cuanto más te gustas y te respetas, menos te preocupas por los comportamientos de la otra persona que normalmente desencadenarían sentimientos de celos. Tu necesidad es darte cuenta y aceptar que eres una persona completamente buena, y que tu valor es inherente; no tienes nada que ver con la opinión de otra persona acerca de ti.

4. **Autocompasión:** la autocompasión suele ser un hábito que aprendes de uno de tus padres. A lo largo de tu infancia, uno de ellos habla continuamente de lo mal que lo trataron en la vida y de lo difícil que ha sido su etapa de adulto.

Alexander Pope escribió: "Como la rama está doblada, el árbol también está inclinado". La forma en que tu padre dominante, el padre con quien más te identificas, pensaba, hablaba y se comportaba cuando eras pequeño, tiene un impacto desmedido en la forma en que piensas, hablas y te comportas como adulto. La autocompasión a menudo es causada por la falta de objetivos y la ausencia de significado y propósito en tu vida personal. Cuando no tienes un sentido de dirección claro y sientes que simplemente estás reaccionando y respondiendo a las demandas de otras personas, es fácil comenzar a sentir lástima por ti mismo. Puedes comenzar a verte como una víctima de las circunstancias en lugar de como un vencedor de las circunstancias.

El antídoto contra la autocompasión es simple: estar tan ocupado trabajando en tus objetivos y haciendo cosas que son importantes para ti que no tengas tiempo para compadecerte. (Te mostraremos cómo hacer esto en el próximo capítulo.)

Toma esto como ejemplo: Ellen creció escuchando a su madre hablar sobre todas las cosas que deseaba poder hacer. Ella le preguntaba cuándo iba a hacerlas y su madre siempre tenía una razón por la que no podía; estaba demasiado ocupada cuidando de todos los demás. La actitud de autocompasión de su madre era muy frustrante para ella, y creía que su madre estaba tomando una decisión. Ellen resolvió a una edad temprana que ella sería diferente. Como resultado, creció comprometida al menos con tratar de seguir sus sueños y perseguir sus pasiones. Se negó a perder su vida como su madre. Hizo lo contrario de lo que su madre había hecho.

Un verdadero sentido de autoestima proviene de lo que se llama *autoeficacia*, esto es el grado en el que sientes que eres competente en lo que haces. Cuando haces algo bien y lo completas, tu sentido de autoeficacia salta, y también lo hace tu autoestima. Te ves y te sientes como una persona más importante y valiosa.

Cuanto más te gustas, menos te sientes mal por ti mismo. A medida que trabajas en ti y en tus objetivos, pronto llegas al punto en que te sientes fenomenal y todo el sentido de autocompasión desaparece.

5. **Expectativas negativas:** este problema en el matrimonio tiene sus raíces en la primera infancia, cuando eres víctima de las expectativas negativas de tus padres. Cada vez que te criticaban

y te decían que no eras particularmente bueno en algo, inconscientemente comenzaste a esperar un desempeño pobre en esa área.

Cuando te casas, a menudo tienes una serie de expectativas sobre cómo debería comportarse la otra persona y cómo deberían ser las cosas en un matrimonio. Si no se cumplen estas expectativas, te sientes frustrado y enojado. A menudo atacas y exiges que la otra persona cambie su comportamiento para que sea consistente con lo que originalmente pensaste que se suponía que era.

El antídoto para las expectativas negativas es siempre esperar lo mejor de tu pareja. Dile a tu compañero que crees que es una persona maravillosa, y que es competente, capaz y atractiva. Debido a que las expectativas siempre se cumplirán, si tú y tu pareja tienen altas expectativas positivas entre sí, ambos se esforzarán por cumplir esas expectativas de una manera positiva.

6. **Incompatibilidad:** ésta es quizá la razón más común para el fracaso en los matrimonios y las relaciones. Un matrimonio o una relación comienzan cuando dos personas se sienten atraídas porque se encuentran compatibles de alguna manera, por lo general físicamente al principio, y luego encuentran otras áreas que tienen en común.

Cuando las personas tienen veintitantos años, crecen y cambian al ritmo más rápido de la vida adulta. Muchas personas que se casan cuando tienen poco más de esta edad descubren a finales de sus 20 que con los años se han convertido en personas completamente diferentes. Ya no son compatibles. Ya no tienen muchas cosas en común, excepto quizá sus hijos, si han tenido alguno juntos. A menudo esto puede conducir a conflictos matrimoniales e infelicidad, si no es que a separación y divorcio.

REÍRSE JUNTOS

Uno de los mejores indicadores de que se ha establecido la incompatibilidad es lo poco que una pareja se ríe. Lo primero que desaparece cuando una relación comienza a agriarse es la risa.

Lo segundo que se pierde es la conversación. Pronto, por hábito e inercia, las personas se encuentran compartiendo la misma casa, viendo la televisión juntas, pero teniendo muy poco en el camino de interacciones o conexiones significativas entre sí.

La pregunta que tienes que hacer cuando comienzas a ver signos de incompatibilidad en tu relación es: "¿Es esto un hecho o es un problema?".

Por supuesto, debes hacer todos los esfuerzos posibles para encontrar áreas comunes y para volver a despertar la atracción original que los unió. Pero si la relación se ha enfriado y se han convertido en personas diferentes con poco en común, a menudo tienes que aceptar que esto es un hecho que no puedes cambiar y no es un problema que puedas intentar resolver.

> *Ejercicio*: las personas cambian juntas o cambian y se distancian. Tener metas, valores y aprecio comunes las mantiene juntas. Para determinar qué tan compatibles son tú y tu pareja, toma una hoja de papel y una pluma y escribe tus respuestas a las siguientes preguntas: ¿qué tienen en común tú y tu pareja? ¿Qué cosas disfrutan hacer juntos? ¿De qué tipo de

cosas hablan? Cuanto más larga sea la lista, mejor será su compatibilidad.

Si la relación ha sido incompatible, la práctica de la negación es muy estresante. Puede enfermarte física y mentalmente. Puede llevar a la frustración, a la ira, a la discusión y a atacarse uno al otro aparentemente sin motivo alguno.

La clave para tratar con la incompatibilidad es aceptar que, si ha ocurrido, nadie es culpable. Ambas partes han hecho lo mejor que pueden. Si ocurre una incompatibilidad, es algo que simplemente sucede, como el envejecimiento o el clima.

SENTIRTE MISERABLE

Muchas personas se sienten miserables por largos periodos de tiempo al permitirse enfadarse con la persona que se ha despreocupado o que ha cambiado tanto que la pareja tiene poco en común para compartir. Pero la otra persona no es mala ni culpable. Él o ella simplemente ya no es compatible contigo.

Si la incompatibilidad se ha establecido, debes hacer todo lo posible para salvar la relación. Muchas veces, acudir a un consejero matrimonial y hablar sobre lo que los unió originalmente puede reavivar la relación. Pasar unas vacaciones solos durante unos días a menudo puede reavivar la chispa que los reunió en primer lugar. Hacer un largo viaje en el que tengan muchas horas para hablar puede hacer que vuelvan a estar unidos.

La incompatibilidad puede aparecer si los dos están tan ocupados con su trabajo o con su vida familiar que no se toman el tiempo para comunicarse de manera regular. Como resultado, empiezan a interesarse por cosas diferentes y a crecer por separado.

Pase lo que pase, escucha tu corazón. Toma las decisiones en tu relación basándote únicamente en lo que sientes que es lo correcto hacer. Si ya no son compatibles, acéptalo como una realidad y trátalo de una manera madura. Recuerda, no es tu culpa. Nadie tiene la culpa. Nadie es culpable. Sólo sucede.

Un punto más sobre problemas con matrimonios o relaciones: recuerda la regla de 99 a 1 que dice que las personas pasan 99% de su tiempo pensando en sí mismas y sólo 1% pensando en todos los demás. Por esta razón, nunca debes permanecer en una relación porque te preocupa lo que otros puedan decir o pensar acerca de ti si la terminaste. El hecho es que nadie está pensando en ti en absoluto.

Relaciones exitosas

Hay seis claves para tener relaciones exitosas de todo tipo:

1. **Compatibilidad:** siempre serás más feliz con alguien que sea similar a ti en intereses, gustos y, especialmente, en valores y actitudes.

Una buena medida de compatibilidad es cómo les gusta pasar el tiempo libre. Las personas que son compatibles disfrutan las mismas actividades de ocio. Y esto es muy importante. No importa qué tan buena sea tu vida sexual, la mayor parte de tu vida en común te dedicarás a actividades no románticas, como la lectura, el cine, los viajes, las vacaciones y los deportes.

Una pareja que conocí, amigos de la escuela secundaria, se casaron cuando tenían poco más de 20 años. Ambos eran jóvenes, pero a él le gustaba quedarse en casa por las noches, leer, mirar televisión y jugar con sus hijos. A ella le gustaba salir a clubes nocturnos, bailar, socializar y comportarse como si todavía estuviera soltera. Este conflicto sobre las actividades de ocio eventualmente llevó al colapso al matrimonio.

Otro signo de compatibilidad es que te sientes cómodo y relajado con las ideas y las opiniones de la otra persona. En áreas como la política, la religión y las actitudes hacia la familia y los amigos, ambos son muy similares.

2. Los opuestos se atraen: has escuchado esto muchas veces, pero es verdad sólo en el área del temperamento. En todas las demás áreas, los opuestos causan conflicto y conducen al estrés, los desacuerdos, la justificación y la infelicidad.

En el área del temperamento, dos personas de disposiciones opuestas suelen sentirse más atraídas entre sí. Si él es extrovertido, ella será más introvertida. Si él es emocional y obstinado, ella estará calmada y racional. Se equilibrarán entre sí.

Una de las formas de medir la compatibilidad en una relación entre dos personas es la *prueba de conversación*. Resulta que cada persona tiene la necesidad de hablar y la necesidad de escuchar en diferentes proporciones. Algunas personas tienen una gran necesidad de hablar y hablar todo el tiempo. Otras personas se sienten cómodas hablando muy poco y escuchando mucho. Este tipo de pareja sería muy compatible.

Un problema que surge muy pronto en una relación es cuando a ambas personas les gusta hablar mucho y, por lo tanto, frecuentemente se están interrumpiendo. Existe una competencia continua por el "tiempo de transmisión". Cualquiera de las partes, o ambas, se sienten frustradas porque no llegan a satisfacer su necesidad de hablar.

Lo opuesto puede ser igualmente malo: ninguno es particularmente hablador, lo que provoca largos periodos de silencio incómodo entre las dos personas. A veces ves parejas que conducen o cenan en restaurantes y ninguno habla. Estas personas son muy similares en temperamento y, por lo tanto, no están hechas para el otro.

La verdadera medida de la compatibilidad en una relación es que los temperamentos son equilibrados y ambas personas hablan todo lo que quieren y escuchan todo lo que quieren escuchar. Además, hay silencios cómodos en la relación. La pareja puede sentarse o conducir en silencio sin sentirse incómoda o sin tener que hablar todo el tiempo.

3. **Compromiso total:** esto es esencial para las relaciones felices y tal vez el factor más importante de todos. Es bien sabido que el amor es el compromiso total con el desarrollo del potencial completo de la otra persona.

Puedes decir que amas a otra persona cuando su felicidad es una preocupación central tuya, y la clave de tu propia felicidad también. Estás dedicado a hacer feliz a la otra persona la mayor parte del tiempo.

4. **Genuinamente gustarse (no sólo amarse) el uno al otro:** éste es un ingrediente importante para las relaciones y los matrimonios exitosos. Las personas se sienten unidas inicialmente por

las emociones del amor y la pasión. Pero en el curso de una relación pueden tener discusiones acaloradas y desacuerdos. Debido a esto, es esencial que dos personas no sólo se amen sino que también se *gusten* entre sí. Éstos son dos temas separados.

Puedes medir la calidad de tu relación con lo que se llama la *prueba del mejor amigo*.

Cuando estás en la relación correcta con la persona adecuada esa persona es tu mejor amiga. No hay nadie más en el mundo con el que te gustaría pasar tiempo. No hay nadie en el mundo con el que puedas contar las cosas de manera más libre y abierta que tu mejor amigo.

Mucha gente dice cuando conoce a su pareja ideal: "Finalmente encontré a mi mejor amigo".

A veces las personas se refieren a esto como si hubieran conocido a su "alma gemela" o al "amor de su vida". Por definición, tu mejor amigo es alguien que te conoce muy bien y te acepta incondicionalmente por quien eres.

Puede haber muchos argumentos y desacuerdos en un matrimonio, pero mientras continúes admirando y respetando a tu pareja, tu relación puede mantenerse fuerte, año tras año.

5. **Tener actitudes y puntos de vista similares:** estas personas son las más compatibles. Siempre serás más compatible con alguien que sea tan feliz y positivo como tú. De hecho, las personas con autoconceptos negativos a menudo se sienten atraídas la una a la otra y viven juntas muy cómodamente.

Muchas personas cometen el error de casarse con alguien que es menos feliz que ellas, con la firme creencia de que harán feliz a la otra persona también. Pero cualquiera que alguna vez haya tenido una relación con una persona infeliz ha descubierto la terrible verdad: la persona positiva no refuerza a la persona negativa ni ilumina su estado de ánimo y su perspectiva. La persona negativa usualmente arrastra a la persona positiva hacia abajo. Pronto la incompatibilidad, la infelicidad y la frustración se establecen y la relación llega a su fin.

6. **Comunicación:** ésta es la verdadera clave para las relaciones felices. La calidad de tu comunicación determina la calidad de tu vida en cada área, especialmente en el matrimonio.

En cierto modo, es verdad que los hombres son de Marte y las mujeres son de Venus, como dice el título del libro clásico. Hombres y mujeres piensan, sienten y se comunican de manera diferente. Es esencial para tu felicidad que reconozcas la diferencia en los estilos de comunicación y los construyas en tus interacciones con la otra persona.

De acuerdo con las imágenes por resonancia magnética, cuando un hombre se comunica, sólo usa dos centros de su cerebro. Pero cuando una mujer lo hace, usa siete. Las mujeres tienen una vida interna mucho más compleja que los hombres. Piensan, cuestionan, evalúan, se preguntan y se detienen en los temas, especialmente en sus relaciones, mucho más que los hombres. Si le preguntas a una mujer en qué está pensando o cómo se siente con respecto a algo, siempre tendrá una respuesta detallada.

Jerry Seinfeld dijo en un sketch de comedia que las mujeres siempre se preguntan en qué están pensando los hombres, y la respuesta es simple: "¡No en mucho!".

La investigación muestra que cuando un hombre y una mujer se sientan juntos a ver la televisión, 80% del cerebro del hombre se apaga mientras el sonido y las imágenes del programa de televisión pasan. La mujer sentada a su lado tiene 80% de su cerebro iluminado, como un árbol de Navidad, mientras mira el programa y piensa en muchas otras cosas al mismo tiempo.

En las relaciones, los hombres tienden a ser más directos y las mujeres tienden a ser más indirectas. Para comunicarse de manera más efectiva, las mujeres a menudo necesitan ser más expresivas y directas para transmitir su opinión.

Para que un hombre se comunique de manera más efectiva con una mujer, debe escucharla pacientemente y con atención mientras habla, sin intentar interrumpir ni agregar sus opiniones o puntos de vista.

ATENCIÓN, AFECTO Y RESPETO

Las principales necesidades de las mujeres en relación con los hombres son la atención, el afecto y el respeto. Deben ser escuchadas y tomadas en serio. Necesitan saber que sus socios están dejando de lado todas las demás preocupaciones y concentrándose en lo que están diciendo, pensando y sintiendo.

Tanto hombres como mujeres pueden mejorar la calidad de sus comunicaciones mediante la práctica de las cuatro habilidades de escucha discutidas anteriormente. Pueden escuchar atentamente, sin interrumpir; pueden hacer una pausa antes de responder, para considerar cuidadosamente lo que la otra persona ha dicho; pueden preguntar por una aclaración, para asegurarse de que entienden lo que la otra persona quiso decir, y pueden retroalimentar lo que la otra persona ha dicho en sus propias palabras para garantizar la claridad de la comprensión.

Alcanza tu máximo potencial

Creces hacia la realización de tu máximo potencial sólo cuando estás en una relación sana y feliz con alguien que amas, respetas y admiras, y que te ama, respeta y admira.

La construcción y el mantenimiento de relaciones de alta calidad es la clave para la salud, la felicidad y la verdadera alegría en la vida.

Puedes ser mucho mejor construyendo una relación de alta calidad fijándola como objetivo y trabajando en ella todo el tiempo. En el análisis final, tu propio nivel de autoestima, respeto por ti mismo y orgullo personal, es el factor clave para determinar la calidad de tus relaciones con los demás.

La mayoría de tus emociones negativas, esos sentimientos destructivos que te detienen y socavan tu felicidad, están asociados a tus relaciones con otras personas, pasadas y presentes. A medida que te conviertes en una persona más positiva y optimista, tus relaciones mejoran en cada área. A medida que mejoran tus relaciones y te sientes amado y respetado por las personas importantes en tu vida, la mayoría de tus sentimientos negativos se disipa y desaparece como el humo de un cigarro en el aire.

Capítulo 7

¡Manos a la obra!

Hay una cualidad que uno debe poseer para ganar,
y ésa es la determinación del propósito, el conocimiento
de lo que uno quiere y un ardiente deseo de lograrlo.
NAPOLEON HILL

Ahora que has liberado tus frenos y eliminado tus limitaciones estás listo para hacer que el resto de tu vida sea lo mejor.

Sabes que tu vida es lo que tus pensamientos hacen de ella. Te conviertes en lo que piensas la mayor parte del tiempo. Tus pensamientos y la forma en que interpretas tu pasado y tu presente determinan tus sentimientos. Tus sentimientos determinan tus acciones y tus resultados.

Al tomar el control de tu mente, lo único sobre lo que tienes control total, puedes cambiar toda la dirección de tu vida. Recuerda, tú *eliges* qué pensamientos tener más y qué pensamientos tener menos.

Pensamiento positivo o negativo

Las personas más positivas, optimistas y felices en cada área piensan de manera muy diferente a las personas promedio cuyas emociones van y vienen continuamente, a veces positivas, a veces negativas.

Muchas personas se ven fácilmente influenciadas por el evento más reciente que haya ocurrido o por la última persona con la que hablaron. Cambian su mente y sus emociones rápidamente, y luego las cambian de nuevo.

La mayoría de las personas ha tenido experiencias difíciles al crecer. Ha tenido problemas en la vida adulta. Si no tiene cuidado, puede aferrarse a estas experiencias, revisarlas y ensayarlas continuamente, manteniéndolas con vida y saboteándose año tras año. Esto no es para ti. Debes elegir dejar esas experiencias pasadas y seguir adelante.

Llena tu mente con lo que quieres ser

La clave del éxito, la felicidad y la realización completa es llenar tu mente con pensamientos, palabras, imágenes y emociones consistentes con la persona que quieres ser y la vida que deseas vivir. Para realmente seguir con tu vida y darte cuenta de todo tu potencial, debes ser poderoso, decidido y autónomo. Eso es lo que aprenderás a hacer en este capítulo.

Las siete claves del gran logro

Hay siete partes clave de tu vida en las que debes desarrollar una claridad absoluta para poder desatar todos tus poderes mentales, físicos y emocionales hacia un gran logro.

1. Valores: las personas más felices y efectivas son muy claras acerca de sus valores, en qué creen y qué representan. Las personas infelices y promedio no están seguras de sus valores, si es que tienen alguno.

La clarificación de valores es uno de los ejercicios más importantes que puedes hacer en tu vida. Comienza por escribir una lista de los tres o cinco valores o virtudes que son más importantes para ti. Luego decide organizar tu vida en torno de esos valores, y cumple con ellos sin falta.

Muchos de los grandes filósofos antiguos, desde Platón y Sócrates hasta Aristóteles, han identificado ciertas virtudes y valores que parecen formar el carácter de personas excepcionales. Entre ellos se encuentran la integridad, el coraje, la persistencia, la generosidad, la compasión, el amor y fuertes relaciones familiares y de amistad.

Hay docenas de valores que puedes usar para formar la base de tu carácter. Pero ésos son algunos de los mejores, y son los valores por los que la mayoría de los grandes hombres y mujeres es conocida.

Entonces, ¿cómo puedes saber cuáles son las verdaderas creencias y valores de una persona? Es bastante simple: mira sus acciones y sus comportamientos, especialmente lo que hace bajo presión, cuando se ve obligada a elegir.

Si deseas conocer el verdadero carácter de una persona, simplemente observa cómo se comporta frente a las dificultades o cuando está bajo estrés. Como lo enseñó el filósofo estoico Epicteto: "Las circunstancias no hacen al hombre; simplemente lo revelan a él mismo".

¿Cómo se desarrolla un valor o una virtud como parte permanente de tu personalidad? La respuesta es simple: practicas ese valor cada vez que se necesita. Según la *ley de la práctica*, lo que sea que hagas repetidamente se convierte en un nuevo hábito y se queda contigo de manera permanente.

Si decides que la paciencia es uno de tus valores más importantes, entonces debes practicar la paciencia en cada situación en la que se requiera. Si quieres desarrollar coraje, debes practicarlo cada vez que sientas miedo. Si deseas desarrollar la cualidad de la integridad, entonces decide hablar y actuar honestamente en cada situación en la que se requiera. Al practicar los valores que más admiras puedes programarlos en tu personalidad.

Tu vida se vive desde adentro hacia afuera, y tus valores forman tu núcleo interno. Cuando son claros, fuertes, intransigentes y positivos, te dan un carácter fuerte y una personalidad agradable. Una persona con valores claros es más positiva, tiene un apretón de manos más firme, hace un contacto visual más directo, e incluso camina y se mueve con mayor fuerza y determinación. Éste es tu objetivo.

Ejercicio: escribe tus tres o cinco valores principales. Al lado de cada uno, escribe una breve descripción de cómo te comportas cuando practicas ese valor. ¿Por qué este valor es importante para ti?

2. **Visión:** una vez que tengas claro cuáles son tus valores, las virtudes que defiendes y los principios que no comprometerás, crea una visión de tu vida futura ideal y las condiciones organizadas en torno de tus valores. Idealiza y visualiza.

Para hacer esto, proyecta cinco años hacia adelante e imagina que tu vida es perfecta en todos los sentidos. ¿Qué estarías haciendo? ¿Cómo sería tu vida? ¿Cuál sería tu situación en tu trabajo, con tu familia y en tu vida personal? Y, especialmente, ¿cómo sería tu vida perfecta diferente a la de hoy?

> *Ejercicio*: recorta una o varias imágenes de una revista que ilustre tu vida ideal y tu yo en el futuro. Pega la imagen donde puedas verla todos los días, como en el refrigerador o en el espejo del baño. Imagínate continuamente viviendo tu vida ideal.

Hablamos de la idealización anteriormente como parte de la orientación futura. Las personas más felices y exitosas son muy claras sobre dónde quieren estar a largo plazo. Mientras más claridad tengas sobre tu futuro, y cuanto más consistente seas con tus valores, más fácil será tomar las decisiones necesarias cada día que eventualmente te permitirán llegar a donde deseas ir.

3. **Misión:** ¿cuál es tu misión en la vida? ¿Qué quieres lograr aplicando tu personalidad, tu inteligencia y tus habilidades a tu mundo? ¿Qué tipo de diferencia quieres hacer en la vida de otras personas, especialmente tu familia?

Una de las formas de determinar tu misión es imaginarte escribiendo tu propio obituario, para ser leído en tu funeral y publicado en el periódico. ¿Qué te gustaría que dijera sobre ti y sobre lo que lograste en la vida? ¿Qué te gustaría que diga tu obituario sobre el efecto que tuviste en la vida de otras personas y cómo serías recordado?

Cuanto mayor sea la claridad que tengas acerca de cómo deseas que te recuerden después de tu partida, es más probable que lo hagas y seas el tipo de persona que deja atrás ese tipo de legado.

> *Ejercicio*: escribe tu propio obituario. Describe el tipo de persona en la que te convertiste en tu vida y las cualidades por las que te gustaría ser recordado. Piensa en cómo tendrías que vivir tu vida para que tu obituario sea verdad.

4. **Propósito:** necesitas una claridad absoluta sobre tu propósito en este mundo. Cada persona nace con una razón especial para estar aquí. ¿Cuál es la tuya?

¿Por qué te levantas por la mañana? ¿Por qué haces el trabajo que haces? ¿Por qué estás en esa relación o criando a esa familia? ¿Cuál es tu verdadero propósito? ¿Dónde quieres terminar?

Una revisión de más de quinientas biografías y autobiografías de hombres y mujeres notables descubrió que la única cualidad común entre ellos era que, desde una edad temprana, estas personas tenían un "sentido del destino".

Creían absolutamente que habían sido puestas en esta tierra para hacer algo especial con su vida, algo que ayudaría a mejorar la vida de otras personas de alguna manera. Ya sea Albert Schweitzer, la Madre Teresa, Winston Churchill, Ronald Reagan o el papa Juan Pablo II, cada uno estaba convencido de que sus talentos y sus dones especiales pertenecían a toda la humanidad.

Para tener un significado en tus logros y en tu vida debes tener un propósito. Para estar enfocado y canalizado, debes tener una dirección. Pregúntate: "Si no tuviera limitaciones sobre lo que podría ser, tener o hacer, ¿cuál sería mi visión, mi misión y mi propósito en la vida?".

5. Objetivos: necesitas objetivos y planes claros para cada área de tu vida. Se dice que el éxito son las metas y todo lo demás es omnidireccional.

Para alcanzar tu máximo potencial, debes tener objetivos claros y escritos en los que trabajes cada día. Sin metas, puedes dar vueltas en círculos, trabajando durante años y logrando muy poco progreso.

Thomas Carlyle escribió: "Un hombre sin metas es como un barco sin timón. No progresa ni siquiera en los mares más calmados. Pero un hombre con metas es como un marinero con un timón, un mapa y una brújula que progresa incluso en los mares más severos, y navega a su destino".

Siete pasos para establecer y alcanzar tus objetivos

Éste es un proceso comprobado de consecución de objetivos de siete pasos que puedes usar el resto de tu vida:

PASO 1: decide exactamente lo que quieres y anótalo clara y específicamente en una hoja de papel. Las personas con objetivos claros por escrito ganan, en promedio, diez veces más que las personas sin metas escritas.

PASO 2: establece un plazo para tus objetivos. Escribe una fecha específica por la cual intentas alcanzar cada objetivo. Si se trata de un objetivo principal, como la independencia financiera, puedes establecer tu fecha límite dentro de diez o 20 años. A continuación, establece plazos inferiores para una serie de objetivos provisionales que deberás cumplir cada mes o cada año para lograr tu objetivo principal.

Cuanto mayor sea tu claridad con respecto a tus objetivos y cuanto mayor sea la emoción con la que los energizas, más rápido los lograrás. Cuanto más positivo seas para lograr tus objetivos, más rápido activarás todas tus facultades mentales. Empezarás a avanzar a un ritmo que nunca habías experimentado antes.

PASO 3: identifica las dificultades que tendrás que enfrentar, los problemas que deberás resolver y los obstáculos que tendrás que superar para lograr tus objetivos. Escríbelos. Revisa esta lista e identifica el mayor obstáculo, ya sea contigo o con tu mundo, y decide trabajar en ese gran obstáculo antes que nada. Nota: la palabra esencial aquí es importante. No hay obstáculos o dificultades importantes entre tú y tus objetivos, o si se trata de molestias menores que enfrentas, no estás elevando la vara lo suficientemente alto o no estás siendo lo suficientemente ambicioso con cada objetivo y simplemente es una actividad. Por ejemplo, llegar a trabajar a través del tráfico de la mañana no es un objetivo. Aumentar tus ingresos, construir un negocio exitoso, lograr la independencia financiera y perder peso son todos objetivos, ya que requieren esfuerzo, determinación y persistencia, y nunca hay garantía de que los logres. El punto es abordar un desafío que te llevará adelante en tu progreso hacia lograr lo que deseas en la vida.

PASO 4: identifica los conocimientos y las habilidades adicionales que tendrás que adquirir o contratar para lograr tus objetivos.

Recuerda, lo que sea que te lleve a donde estás hoy no es suficiente para llegar más lejos. Para avanzar, debes dominar nuevos conocimientos, herramientas y habilidades. Sean lo que sean, identifícalos claramente, escríbelos y luego haz un plan para lograrlos.

PASO 5: identifica a las personas, grupos y organizaciones cuya ayuda y cooperación necesitarás para lograr tus objetivos. Necesitas la ayuda de muchas personas para alcanzar grandes objetivos. Nadie lo hace por sí solo.

Recuerda, cuando pienses en las personas cuya asistencia necesitarás, siempre pregúntate: "¿Cómo se beneficiarán? La gente hace cosas por su propio beneficio, no por el tuyo. Decide por adelantado "dar" en lugar de "recibir". Busca maneras de ayudar a las personas a alcanzar sus metas en el proceso de ayudarte a lograr las tuyas. Una situación mutuamente beneficiosa es mucho más atractiva para todos y crea una comunidad y una conexión.

PASO 6: haz un plan. Toma todos los elementos que has identificado en los primeros cinco pasos de este proceso y anótalos en una hoja de papel. Un plan es una lista de actividades organizadas de dos maneras. Primero, está organizado por secuencia: ¿qué tienes que hacer primero? ¿Segundo? ¿Tercero? ¿Qué tienes que hacer antes que nada? Crea una lista de verificación.

Segundo, un plan es una lista organizada por prioridad. ¿Qué es más importante y qué es menos importante? Aplica la bien conocida regla 80/20 a tu lista. ¿Qué porcentaje del 20% de tus actividades puede contribuir con el 80% de los resultados que deseas lograr? Disciplínate para comenzar estas actividades primero, antes de hacer cualquier otra cosa.

PASO 7: éste es el paso más importante de todos. Una vez que hayas decidido tus objetivos y organizado tu lista de actividades por secuencia y prioridad, actúa inmediatamente. Haz algo tan pronto como puedas. Cuanto más rápido empieces a trabajar para lograr cada objetivo, más rápido lo completarás; más pronto enfocarás todos tus recursos hacia el logro de ese objetivo.

(Puedes descargar gratis un programa completo de establecimiento de metas en www.briantracy.com).

Decide hacer algo todos los días que te mueva hacia tu objetivo más importante. Cada mañana, cuando te levantes, piensa al menos en un paso que puedas dar ese día que te acercará más al logro de ese objetivo. Decide hacer algo todos los días, los siete días de la semana, los 365 días del año, sin falta.

Cuando haces algo todos los días, desencadenas el poder mágico del *principio de impulso*. Este principio dice que puede tomar diez unidades de energía comenzar un nuevo objetivo, pero una vez que comienzas a moverte, sólo se necesita una unidad de energía para seguir avanzando. Cuando te fuerzas a avanzar hacia tu objetivo, rompes los lazos de inercia que mantienen a la mayoría de las personas en su lugar, y comienzas a desatar todos tus poderes.

6. **Prioridades:** necesitas prioridades claras para determinar qué es importante y valioso para ti y qué no. No puedes administrar el tiempo en sí mismo; sólo puedes administrarte a ti mismo y cómo ocupar tu tiempo. La gestión del tiempo es la gestión de la vida. La gestión del tiempo es la capacidad de elegir la secuencia de eventos; es la capacidad de elegir lo que haces primero, lo que haces en segundo lugar, y lo que no haces en absoluto. Y siempre eres libre de elegir. Ésta es la clave del éxito en la vida.

Siempre te sentirás abrumado con demasiado para hacer y muy poco tiempo. No importa cuán inteligente seas en organizar tu tiempo y tu trabajo: nunca terminarás. A lo largo de tu vida tendrás que establecer prioridades claras en el uso de tu tiempo, en función del valor de esa actividad en comparación con cualquier otra cosa que podrías hacer en ese momento. Para lograr cualquier cosa de valor, debes ser capaz de establecer tus prioridades y mantenerlas.

7. **Acciones:** una vez que tienes claros tus valores, tu misión, tu visión, propósito, tus metas y tus prioridades, debes tener la fuerza de voluntad y la disciplina para lanzarte a la acción continua en la dirección de tus sueños.

A lo largo de este libro hemos explicado el papel central de la autoestima en el éxito, la felicidad y las buenas relaciones. El conductor central de la autoestima es la autoeficacia. Esto se define como qué tan efectivo te sientes al hacer lo que estás haciendo y qué tan competente te sientes para lograr tus objetivos.

Cuanto más te gustas, mejor haces casi todo en tu vida. Y cuanto mejor haces las cosas más importantes en tu vida, más te gustas a ti mismo. La autoestima y la autoeficacia se refuerzan mutuamente.

Autoestima basada en el desempeño

Esto nos lleva a lo que se llama *autoestima basada en el desempeño*. Parece que realmente te gustas y te respetas sólo cuando sabes, en el fondo, que eres bueno en lo que haces y que eres capaz de establecer y alcanzar los objetivos que son importantes para ti.

Las personas que nunca han establecido y logrado un objetivo importante siempre experimentan sentimientos de inadecuación e inseguridad. Dudan de sí mismas y de sus habilidades. Nunca están seguras y están plagadas de temores de fracaso y rechazo. Como resultado, juegan a lo seguro y se conforman con menos en la vida de lo que realmente es posible para ellas.

Pero las personas que han establecido y logrado uno o más grandes objetivos están llenas de confianza y entusiasmo. La sola idea de un nuevo desafío aumenta su autoestima, su coraje y su confianza, y las impulsa hacia el logro de objetivos aún mayores en el futuro.

Recuerda un gran éxito

Probablemente puedas relacionarte con esta idea. Piensa en algo en lo que trabajaste duro para lograr y cómo te sentiste cuando realizaste la tarea. Te sentiste más capaz, más seguro y más en control de tu vida.

El logro del éxito no es lo más importante. Lo que es más importante es la persona en la que te tienes que convertir y el carácter y las cualidades que debes desarrollar para alcanzar ese éxito en primer lugar.

Para lograr algo que nunca has logrado, debes convertirte en alguien que nunca has sido antes. Debes hacer cosas que nunca has hecho antes, una y otra vez, hasta que realmente te conviertas en una persona nueva.

Realmente modelas y esculpes tu personalidad y desarrollas tu personaje a un nivel superior como resultado de tu claridad sobre tus objetivos y tu persistencia para lograrlos.

Empujando hacia el frente

Las personas más productivas y efectivas tienden a tener una intensa orientación de excelencia. Están decididas a ser muy buenas en lo que hacen. Piensan en la excelencia y en el alto rendimiento todo el tiempo. Nunca están satisfechas con su nivel actual de rendimiento. Siempre están subiendo su propio nivel.

En mis 20, estaba desempleado y hambriento por tener éxito en algo, cualquier cosa. Finalmente encontré un trabajo en ventas directas por comisión, tocando puertas durante todo el día y hasta por la noche. Un día, el mejor vendedor de mi empresa me dijo: "¿Sabías que debes estar en el 20% de las personas más importantes en este negocio si quieres ganar mucho dinero?".

Cuando escuché eso, al principio me sentí abatido. Nunca había sido bueno en nada en mi vida. Había abandonado la escuela y tuve trabajos menores durante varios años. Estaba luchando como vendedor de puerta en puerta en ese momento, y ahora me decían que tendría que estar entre los mejores si quería tener éxito en este campo o en cualquier otro.

UNA REVELACIÓN

Luego aprendí algo que cambió mi vida: todos en el 20% superior de su campo comenzaron en el 20% inferior. A todos los que tienen éxito hoy, en cualquier campo, alguna vez les fue mal. Todos los que están al frente de la línea en la vida comenzaron en la parte posterior.

Todo el mundo en el 20% superior en su campo actual en algún momento no estaba en ese campo, y ni siquiera sabía que existía. Pero nadie es mejor que tú y nadie es más inteligente que tú. Si alguien lo está haciendo mejor que tú es simplemente porque ha aprendido las habilidades críticas necesarias en ese campo y las ha practicado con más frecuencia que tú. Y lo que otros, a veces cientos de miles, han hecho, tú también puedes hacerlo.

TODAS LAS HABILIDADES SE PUEDEN APRENDER

Esta realización cambió mi vida. Luego tuve otra sorpresa. Descubrí que todas las habilidades comerciales son aprendidas. Todas las habilidades técnicas se pueden aprender. Todas las habilidades de carrera se pueden aprender. Al igual que con la lectura, la escritura y la aritmética —nadie comienza con estas habilidades—; todos tienen que aprenderlas a lo largo del tiempo.

Todas las habilidades empresariales son aprendidas. Todas las habilidades de ventas son aprendidas. Todas las habilidades para ganar dinero también se pueden aprender. Y cualquier cosa que hayan aprendido cientos de miles, incluso millones de otras personas, también puedes aprenderlas. Nadie es mejor que tú y nadie es más inteligente que tú.

Esta revelación cambió mi vida. A partir de ese momento me convertí en un estudiante dedicado al desarrollo personal y profesional. Leí todos los libros y artículos que pude encontrar que me ayudarían a mejorar mi rendimiento. Escuché programas de audio mientras caminaba y manejaba. Asistí a todos los seminarios y talleres que pude encontrar. Más tarde tomé miles de horas de cursos universitarios para actualizar mis conocimientos y mis habilidades para poder alcanzar mis objetivos de forma más rápida y predecible.

La magia del desarrollo personal

El desarrollo personal cambió mi vida. Me hizo una persona completamente diferente. A lo largo de los años he trabajado con cientos de miles de personas en ochenta países que han dicho lo mismo. Casi todos empezaron desde abajo. Habían logrado todo a través del trabajo duro y el compromiso de desarrollarse a sí mismos y sus habilidades. Y lo que otras personas en todo el mundo han hecho, tú también puedes hacerlo.

Otra cosa maravillosa sobre el desarrollo personal en tu camino hacia la excelencia es que cada vez que aprendes algo nuevo que puede ayudarte, tu autoestima aumenta. Te sientes más feliz y tienes más control de tu vida. Te sientes más poderoso y tienes mayor autoestima. No es sólo el objetivo final de ser excelente en tu campo lo que contiene la recompensa. Es cada paso en el camino.

Sé el mejor en lo que haces

Así como el logro de objetivos cambia tu carácter, ser excelente en lo que haces, también. La única forma en que realmente puedes disfrutar de altos niveles de autoestima sostenida y confianza es cuando sabes, en lo profundo de tu corazón, que eres muy bueno en lo que has elegido hacer. Y una vez que tienes eso, nadie puede quitártelo.

Abraham Lincoln dijo: "La única seguridad que una persona puede tener es la capacidad de hacer un trabajo extraordinariamente bien".

Aquí hay una pregunta para ti: ¿qué habilidad, si fueras absolutamente excelente en eso, te ayudaría más a avanzar en tu carrera?

TU HABILIDAD MÁS DÉBIL

Parece que tu habilidad importante más débil establece la altura de tu éxito, tus logros y tus ingresos en cualquier campo. Elevar tu nivel de rendimiento en tu área de destreza más débil puede hacer más para impulsarte hacia adelante que cualquier otra acción que puedas realizar. Muchos de mis alumnos han duplicado y triplicado sus ingresos en sólo unos meses al identificar sus habilidades más débiles y luego comprometerse a dominar esa habilidad de todas las maneras posibles.

ESTABLÉCELO COMO UNA META

Una vez que hayas identificado esa habilidad que podría ayudarte más que ninguna otra, aplica el proceso de establecimiento de metas para desarrollar esa habilidad. Escríbelo como una afirmación positiva: "Soy absolutamente excelente en…".

Anótalo y establece una fecha límite. Determina los obstáculos que tendrás que superar, las personas cuya ayuda necesitarás y las acciones que deberás tomar cada día. Haz una lista; organízala por secuencia y prioridad. Toma medidas en tu nuevo objetivo y luego haz algo todos los días hasta que seas excelente en esa habilidad.

Vuélvete intensamente orientado a los resultados

Además de la orientación a los objetivos y la orientación a la excelencia, las personas más exitosas en cada campo practican una intensa orientación hacia los resultados. Piensan en esos resultados la mayor parte del tiempo. Piensan en las cosas más importantes que pueden hacer cada día y cada hora. Luego se disciplinan para trabajar en sus tareas principales la mayor parte del tiempo.

En todos los campos, las personas que trabajan en el 20% superior de sus tareas (es decir, las tareas que tienen el mayor impacto positivo en su éxito) logran de cinco a diez veces más que la persona promedio, aunque otros pueden tener el mismo nivel de conocimiento, educación y habilidad.

En tu vida laboral los resultados son todo. Son lo único que cuenta para el éxito y el avance. Son los factores determinantes de cuánto te pagan y qué tan rápido te ascienden. Nada puede reemplazar la necesidad de obtener resultados de manera constante, predecible y consistente. Todas las personas importantes se enfocan en los resultados la mayor parte del tiempo.

Aumenta tu productividad

Para lograr más y mejores resultados, aquí hay algunas preguntas clave que puedes hacerte todos los días:

1. ¿Por qué estoy en la nómina? ¿Para qué me han contratado? ¿Por qué me pagan dinero en mi trabajo? ¿Qué resultados específicos se espera que contribuyan a mi empresa?
2. ¿Cuáles son mis tareas de mayor valor agregado? De todas las cosas que hago, ¿cuáles son más valiosas que cualquier otra cosa para lograr los resultados que son más importantes para mi empresa?
3. ¿Cuáles son mis áreas clave de resultados? ¿Cuáles son las cinco a siete tareas que hago que conforman mi trabajo? ¿Dónde soy más fuerte? ¿Dónde soy más débil? ¿En qué áreas podría mejorar mi conocimiento o mis habilidades? ¿Dónde debo trabajar más para dominar mis tareas clave?
4. ¿Qué puedo hacer yo —y sólo yo— que, si se hace bien, haría una diferencia real en mi compañía y en mi vida? Esto es algo que sólo tú puedes hacer. Si no lo haces, nadie más lo hará por ti. Pero si lo haces y lo haces bien, puede marcar una gran diferencia en tu trabajo o en tu vida personal. ¿Qué es?

¿Cuál es el uso más valioso de mi tiempo en este momento? Ayudarte a determinar el uso más valioso de tu tiempo en cada minuto es el objetivo final de todos los ejercicios de administración del tiempo.

Enfócate en tu contribución

El enfoque en los resultados, al hacer una contribución máxima, está estrechamente relacionado con tu autoestima y tu confianza. Cuanto más sientas que estás haciendo una contribución real en tu trabajo y en tu vida, más te gustarás y te respetarás, y más feliz serás. Cuanto más contribuyas, mayor será tu autoestima. Cuanto más contribuyas, más personas te estimarán y te respetarán a tu alrededor. Cuanto más contribuyas, mejores resultados obtendrás y más sentirás que tienes el control total de tu vida y tu futuro.

Siete claves para una personalidad positiva

La aptitud mental es como la aptitud física; desarrollas altos niveles de autoestima y una actitud mental positiva con entrenamiento y práctica. Aquí están las siete claves para convertirte en una persona completamente positiva:

1. **Autoconversación positiva:** háblate positivamente; controla tu diálogo interno. Usa afirmaciones, declaraciones positivas expresadas en el tiempo presente y en primera persona: "¡Me gusto! ¡Puedo hacerlo! ¡Me siento genial! ¡Soy responsable!".

La mayoría de tus emociones está determinada por la forma en que hablas contigo a lo largo del día. La triste realidad es que si no hablas deliberada y conscientemente contigo de una manera positiva y constructiva, de manera predeterminada, pensarás en cosas que te hacen infeliz o te causan preocupación y ansiedad.

Tu mente es como un jardín: crecerán maleza o flores. Pero si no siembras flores deliberadamente y las atiendes con cuidado, las malas hierbas —los pensamientos negativos— crecerán sin ningún estímulo.

2. **Visualización positiva:** la capacidad de visualizar y ver tus objetivos como si ya se hubieran realizado es quizá la habilidad más poderosa que tienes.

Crea una imagen clara y emocionante de tu objetivo y tu vida ideal y repite esta imagen en tu mente una y otra vez. Toda mejora en tu vida comienza con una mejora en tus imágenes mentales. Como te ves en el interior, estarás en el exterior.

3. **Personas positivas:** tu elección de las personas con las que vives, trabajas y te asocias tendrá más impacto en tus emociones y en tu éxito que cualquier otro factor. Decide hoy asociarte con los ganadores, con personas positivas y con personas felices y optimistas que están haciendo algo con su vida. Evita a las personas negativas a toda costa. Las personas negativas son la principal fuente de la mayor parte de la infelicidad de la vida. Decide eso a partir de hoy en adelante: no vas a tener personas estresantes o negativas en tu vida.

4. **Comida mental positiva:** así como tu cuerpo es saludable en la medida en que comes alimentos saludables y nutritivos, tu mente está sana en la medida en que la alimentas con "proteína mental" en lugar de "dulces mentales".

Debes leer libros, revistas y artículos educativos, inspiradores o motivadores. Lee material que sea alentador y que te haga sentir más feliz y más seguro de ti y de tu mundo.

Escucha programas de audio positivos e instructivos en tu coche y en tu celular. Alimenta tu mente de manera continua con mensajes positivos que te ayuden a pensar y a actuar mejor y a ser más capaz y competente en tu campo.

Mira programas positivos en YouTube, así como *TED Talks*. Toma cursos en línea sobre los temas más importantes para ti y lee otros materiales edificantes que te hagan sentir bien.

5. **Entrenamiento y desarrollo positivo:** casi todos en nuestra sociedad comienzan con recursos limitados, a veces sin dinero en absoluto. Prácticamente todas las fortunas comienzan con la venta de servicios personales de algún tipo. La mayoría de las personas que están en la parte superior hoy estuvo una vez en la parte inferior, y en ocasiones cayó al fondo varias veces.

El milagro del aprendizaje permanente y la superación personal es lo que te lleva de la miseria a la riqueza, de la pobreza a la opulencia y del bajo rendimiento al éxito y a la independencia financiera. Cuando te dedicas a aprender y crecer, y a ser cada vez mejor en tus pensamientos, en tus habilidades y en tus acciones, tomas el control total de tu vida y aumentas significativamente la velocidad a la que te mueves hacia arriba y hacia adelante a mayores alturas.

6. **Hábitos de salud positivos:** cuida de manera excelente tu salud física. Decide hoy que vas a vivir para tener ochenta, noventa o cien años y aún bailar por las tardes.

    Come alimentos excelentes, saludables y nutritivos, y consúmelos con moderación y equilibrio adecuado. Una dieta excelente tendrá un efecto positivo inmediato en tus pensamientos y tus sentimientos.

    Decide hacer ejercicio regularmente, al menos doscientos minutos de movimiento por semana: caminar, correr, nadar, andar en bicicleta o ejercitarse en el gimnasio. Cuando haces ejercicio de manera regular, te sientes más feliz y más saludable y experimentas niveles más bajos de estrés y fatiga que una persona que se sienta en el sofá y mira la televisión toda la noche.

    Especialmente, procura un amplio descanso y relajación. Necesitas recargar tus baterías con regularidad, especialmente cuando estás pasando por periodos de estrés o dificultad. Vince Lombardi dijo una vez: "La fatiga nos hace cobardes a todos".

    Uno de los factores que nos predispone a las emociones negativas de todo tipo son los malos hábitos de salud, la fatiga, la falta de ejercicio y el trabajo continuo. No dejes que esto te suceda a ti.

7. **Expectativas positivas:** ésta es una de las técnicas más poderosas que puedes usar para convertirte en una persona positiva y para garantizar resultados positivos en tu vida.

Tus expectativas se convierten en tus propias profecías autocumplidas. Lo que sea que esperas, con confianza, parece entrar en tu vida. Como puedes controlar tus expectativas, siempre debes esperar lo mejor. Espera tener éxito por adelantado. Espera ser popular cuando conozcas gente nueva. Espera alcanzar grandes metas y crear una vida maravillosa. Cuando constantemente esperas que sucedan cosas buenas, rara vez te sentirás decepcionado.

Conclusión

Siete verdades sobre ti

Ser lo que somos y convertirnos en lo que somos
capaces de llegar a ser es el único fin de la vida.
ROBERT LOUIS STEVENSON

No importa quién eres hoy, o lo que haz hecho o dejado de hacer en el pasado, en el fondo hay siete verdades esenciales sobre quién eres como persona:

1. **Eres una persona completamente buena y excelente.** Eres valioso y vales la pena sin medida. Nadie es mejor que tú y nadie es más inteligente que tú. En lo más profundo de tu corazón, eres un buen ser humano. Eres tan bueno o mejor que cualquiera que puedas conocer.
2. **Eres importante, en muchas, muchas formas.** Por supuesto, eres importante para ti mismo. Todo tu mundo gira en torno a ti. Eres la persona más importante en tu universo personal. Le das sentido a todo lo que ves o escuchas. Nada en tu mundo tiene ningún significado excepto por lo que le atribuyes personalmente.

    Tú también eres importante para tus padres. Tu nacimiento fue un momento significativo en sus vidas y aún hoy los afecta. A medida que creciste, casi todo lo que hiciste fue importante y significativo para ellos.

Eres importante para tu propia familia, tu pareja, tu cónyuge, tus hijos y los demás miembros de tu círculo social. Algunas de las cosas que haces o dices tienen un impacto enorme en ellos.

En tu trabajo, eres importante para tu empresa, tus clientes, tus compañeros de trabajo y tu comunidad. Las cosas que haces pueden tener un efecto tremendo en la vida de los demás.

Qué tan importante crees que eres, en gran medida determina la calidad de tu vida. Las personas felices y exitosas se sienten importantes y valiosas. Debido a que se sienten de esta manera, actúan de esta manera, y se convierte en realidad para ellas.

Las personas infelices se sienten devaluadas y sin importancia. Se sienten frustradas e indignas. Como resultado, arremeten contra el mundo y se involucran en conductas que las lastiman a ellas mismas y a los demás.

3. **Tienes un potencial ilimitado.** Tienes la capacidad de crear tu vida y tu mundo como lo deseas. No podrías usar todo tu potencial si vivieras cien vidas.

   No importa lo que hayas logrado hasta ahora, es sólo una pista de lo que realmente es posible para ti. Y cuanto más desarrolles tu potencial, más podrás desarrollar en el futuro.

4. **Tú creas tu mundo en todos los aspectos** por la forma en que piensas y la profundidad de tus convicciones. Tus creencias crean tus realidades. Y cada creencia que tienes

sobre ti la has aprendido, comenzando en la infancia. El sorprendente descubrimiento es que la mayoría de las creencias negativas que interfieren con tu felicidad y tu éxito no se basa en la realidad. No son verdad.

5. **Siempre eres libre de elegir.** Tú controlas el contenido de tus pensamientos y la dirección de tu vida. Tú controlas tu vida interior por completo. Puedes decidir tener pensamientos felices, satisfactorios y edificantes, que conducen a acciones y a resultados positivos. O puedes, por defecto, terminar eligiendo pensamientos negativos y autolimitantes que te hagan tropezar y te retengan.

    Tu mente es como un jardín; pueden crecer flores o malas hierbas. Pero si no cultivas deliberadamente las flores, las malas hierbas crecerán automáticamente, sin ningún esfuerzo de tu parte. Esta simple analogía explica la mayoría de la infelicidad en la vida. La gente no está plantando suficientes flores en forma de pensamientos positivos, felices y edificantes.

6. **Fuiste puesto en esta tierra con un gran destino.** Debes hacer algo maravilloso con tu vida. Tienes una combinación única de talentos, habilidades, ideas y experiencias que te diferencian de cualquiera que haya vivido alguna vez. Fuiste diseñado para el éxito y para la grandeza. Tu aceptación o no aceptación de esta verdad determina en gran medida tu nivel de ambición y la dirección de tu vida.

7. **No hay límites de lo que puedes hacer, ser o tener,** excepto aquellos que colocas según tu propio pensamiento y tu propia imaginación. Los enemigos más grandes que ten-

drás son creencias autolimitantes; creencias que no están basadas en hechos, pero que has aceptado a través de los años hasta que ya no las cuestionas.

Recuerda esta regla: no importa de dónde vengas; todo lo que realmente importa es hacia dónde te diriges.

Toma la decisión, en este momento, de que vas a desbloquear todo tu potencial y convertirte en la persona extraordinaria que yace en lo profundo de ti. Vas a lograr las cosas extraordinarias para la cuales viniste a este mundo.

Resumen

Eres una buena persona. Estás diseñado para el éxito y configurado para la grandeza. Tienes dentro de ti más talento y habilidad de la que podrías usar en cien vidas. Prácticamente no hay nada que no puedas lograr si lo deseas lo suficiente y estás dispuesto a trabajar por ello.

Cuando aprendes a soltar tus frenos mentales, perdonas a todos los que alguna vez te han lastimado de alguna manera y te dedicas a convertirte en una persona excelente en tus relaciones con los demás y en tu trabajo, tomas el control total de tu destino. Maximizas todas tus habilidades y te pones en el camino de la salud, la felicidad, las relaciones amorosas, el logro máximo y la realización completa.

¡No hay límites!